Sachaid o Limrigau

Golygydd: Tegwyn Jones

Cyhoeddiadau Barddas

2011

I ffyddloniaid 'Limrig y Dydd'

© Cyhoeddiadau Barddas

Argraffiad cyntaf: 2011

ISBN 978-1-906396-46-6

Cyhoeddwyd gyda chymorth ariannol Cyngor Llyfrau Cymru

Cyhoeddwyd gan Gyhoeddiadau Barddas
Argraffwyd gan Wasg Dinefwr, Llandybïe

Diolchiadau

Mae arnaf ddiolch diffuant i nifer o weisg a fu mor garedig â chaniatáu i mi godi deunydd o'u cyhoeddiadau wrth gywain ynghyd y limrigau hyn, sef Gwasg Carreg Gwalch, Gwasg Dinefwr a Gwasg Gwynedd. Bu Urdd Gobaith Cymru yr un mor barod i adael i mi godi nifer o limrigau o'r cylchgrawn difyr hwnnw, *Blodau'r Ffair*, a gyhoeddwyd rhwng 1953 ac 1976. Elwais yn arbennig ar gyfres Barddoniaeth Boced-din Gwasg Carreg Gwalch, a chyfres Pigion Talwrn y Beirdd Gwasg Gwynedd. Gwn mai'r limrigwyr eu hunain sy'n berchen ar hawlfraint eu cerddi, ond gwn hefyd, o'm hadnabyddiaeth o lawer ohonynt, na welant yn chwith am na chysylltwyd yn uniongyrchol â hwy yn unigol. Gwaith rhwystredig a chostus fyddai hynny, ac ni allaf ond ymddiheuro a gofyn maddeuant os llwyddais i dramgwyddo yn erbyn unrhyw un.

Y mae diolch hefyd yn ddyledus i rai cyfeillion hael. Hwyluswyd pob ymweliad ar fy rhan â'r Llyfrgell Genedlaethol gan fy nghyfaill Dr Huw Walters fel arfer, a phleser yw cael cydnabod ei gymorth. Rwyf yn ddyledus i Dr Alwyn Roberts, Bangor, am fy nghyfeirio at limrig coffa Hywel Tudur i'r Parchedig John Jones, Brynrodyn, a ddyfynnir yn y Rhagymadrodd, ac i Dr Derec Llwyd Morgan am dynnu fy sylw at limrigau 'Cymreig' William Ewart Gladstone, hwythau hefyd i'w gweld yn y Rhagymadrodd isod.

Diolch i Beti am ei hamynedd arferol, ac i Rhŷs am chwerthin yn y mannau iawn. Dyledwr wyf i Gyhoeddiadau Barddas am y gwahoddiad i olygu'r casgliad hwn, i Elwyn Edwards a Dafydd Llwyd am eu harweiniad a'u gofal, ac am y gwaith graenus sydd arno.

Cynnwys

Rhagymadrodd

Pa mor hen yw'r limrig, tybed? Fel mesur 'diweddar' y sonnir amdano, a diau bod hynny'n wir am y mesur fel y gwyddom amdano heddiw, ond y mae llawer un wrth bori mewn llenyddiaethau amrywiol wledydd wedi sylwi o dro i dro ar ddarnau o farddoniaeth a ddaeth â'r cynllun odli *aabba* i'w cof. Yn ei lyfr *The Limerick Makers* y mae Jean Harrowven yn tynnu sylw at nifer o'r rhain, ac un ohonynt yn digwydd mor gynnar â'r wythfed ganrif mewn cerdd Wyddelig o'r enw 'Galarnad Ronan':

> Ro gab Echaid óinieni,
> Iar mbeith i leinn lebrairthe
> In brónánifil,
> For DúnnAis,
> Atá for Dún Sebaurche.

Dyfynnir pennill unigol sy'n digwydd yn un o lawysgrifau Harleian yn yr Amgueddfa Brydeinig o'r bedwaredd ganrif ar ddeg ac sy'n sôn am nodweddion y llew:

> The lion is wondirliche strong
> & ful of wiles of wo;
> & whether he pleye,
> other take his preye,
> he can not do but slo [sef 'lladd', slay].

Y mae eraill, Jean Harrowven yn eu plith, yn cyfeirio at y pennill Saesneg adnabyddus canlynol sy'n perthyn i ganol yr ail ganrif ar bymtheg:

Hickory, dickory, dock
The mouse ran up the clock.
The clock struck one,
The mouse ran down,
Hickory, dickory, dock.

ond sydd yn ôl pob tebyg yn fersiwn ar bennill Ffrengig sy'n llawer
hŷn, sef:

Digerie, digerie, doge,
Le souris ascend l'horloge;
L'horloge frappe
Le souris s'échappe,
Digerie, digerie, doge.

Yn yr unfed ganrif ar bymtheg gwelwyd Shakespeare yn ei ddramâu
yn defnyddio penillion sydd, fel y gwelir wrth yr enghraifft isod o
Hamlet, yn perthyn yn agos i'r limrig o ran ffurf :

His beard was as white as snow,
All flaxen was his poll,
He is gone, he is gone,
And we cast away moan,
God ha' mercy on his soul!

Un o gyfoeswyr ieuanc Shakespeare oedd y bardd Robert Herrick,
ac yn ei gerdd i'w gariad, Julia, a ganodd yn 1648, y mae ganddo yntau
benillion sydd eto'n ymdebygu i'r limrig:

Her eyes the glow-worms lend thee,
The shooting starres attend thee;
And the elves also
Whose little eyes glow,
Like the sparks of fire, befriend thee.

Gellid yn rhwydd ychwanegu enghreifftiau i ddangos bod beirdd
wedi canu ar fesur digon tebyg i'n limrig ni heddiw mewn llawer gwlad

ac mewn sawl cyfnod, ond pwy a afaelodd ynddo a'i ddatblygu? Pwy oedd y rhai cyntaf, yw cwestiwn Jean Harrowven, i sefydlu'r patrwm mydryddol hwn fel ffurf bendant a hawdd ei hadnabod? Y mae ei hateb yn ein dwyn i Iwerddon, ac yn cyffwrdd hefyd â phwnc dadleuol arall, sef y berthynas – os oes un – rhwng enw'r mesur a'r ddinas enwog ar lannau afon Shannon. Hwyrach mai'r dyma'r lle i drafod hwnnw.

Y mae'r ffaith y byddai'r enw *Limerick*, pan ddechreuwyd ei ddefnyddio gyntaf yn Saesneg, yn cael ei sillafu gan amlaf â phriflythyren, ynddo'i hun yn awgrymu rhyw ymwybyddiaeth o'i gysylltiad Gwyddelig posibl. Un ddamcaniaeth yw fod y pennill wedi ei gludo i Iwerddon o Ffrainc gan filwyr Gwyddelig a aeth i ymladd yno gyda byddin Lloegr ar ôl arwyddo Cytundeb Limerick rhwng Iwerddon a Lloegr yn 1691. Ffurfiwyd brigâd yn swydd Limerick, a than arweiniad Iarll Limerick aethant i ymladd i Ffrainc. Mae hyrwyddwyr y ddamcaniaeth hon yn dyfynnu pennill a oedd yn boblogaidd yn Ffrainc yn y cyfnod hwnnw, sy'n amlwg yn perthyn o ran ffurf i'r limrig – a chofier hefyd am 'Digerie, digerie, doge' uchod. Aeth y milwyr Gwyddelig – yn ôl y ddamcaniaeth hon – â'r pennill poblogaidd hwn yn ôl i Iwerddon i'w canlyn, ac yno ymledodd yn fuan iawn. Gan mai milwyr o Limerick oeddynt, galwyd y pennill yn 'Limerick' yn Iwerddon. Dyna un ymgais i'w gysylltu â'r ddinas.

Damcaniaeth arall – ac ymhlith y rhai sydd wedi cynnig honno y mae J. H. Murray, golygydd cyntaf yr *Oxford English Dictionary* – yw fod yr enw ar y pennill i'w gysylltu â thraddodiad arbennig o ganu mewn tafarnau Gwyddelig. Mewn nodyn yn y cylchgrawn *Notes & Queries* ym mis Rhagfyr 1898 dywed Murray hyn:

> The 'Limerick' proper is a far from blameless production, though some 'Limericks' achieve enormous circulation – verbally. It has been shown that the nonsense verse is older than [Edward] Lear's; how much older I am not prepared to say, but certain it is that a song has existed in Ireland for a very considerable time, the construction of the verse of which is identical with that of Lear's. The refrain is as follows:

Will you come up?
Will you come up to Limerick?
Will you come up, come up?
Will you come up to Limerick?

The method of singing was peculiar. One member of
the party started a verse, and when he had concluded
the whole assembly joined in the chorus. Then the next
performer started a second verse, and so on until each
one had contributed a verse; repetitions were not allowed,
and forfeits were extracted from those who could not
fulfil the conditions. This meant that each one had to
supply an original verse of his own.

Gresyn na fyddai Murray wedi dyfynnu un o'r penillion y mynnai
ef oedd ar lun a delw gwaith Edward Lear. Yn sicr nid oes fawr o
debygrwydd i'r limrig yn y gytgan a genid gan y cwmni.

I ddychwelyd eto at Jean Harrowven a'i damcaniaeth hi. Yn y
bedwaredd ganrif ar bymtheg, meddai, ceid grŵp o feirdd a drigai
ym mhentref Croom, ar lan afon Maigue yn swydd Limerick, ac yn
y wlad o gwmpas. Adnabyddid hwy fel 'Beirdd Maigue' a'r hyn a'u
nodweddai oedd eu cariad mawr at eu gwlad, a'u pryder am ddyfodol
yr iaith Wyddeleg, sef yr iaith y cyfansoddent ynddi. Nodwedd arall
a berthynai iddynt oedd eu hoffter o'r ysgafn a'r llawen, a hynny'n
bennaf a adlewyrchir yn eu gwaith. Y ddau enwocaf o'u plith oedd
John O'Toumy (Seán Ó Tuama) ac Andrew McCrath (Aindrias
MacCraith). Cadwai O'Toumy dafarn ym mhentref Croom, ac yno
byddai'r beirdd yn cyfarfod yn rheolaidd i yfed a chyfansoddi. Yn
ffodus cadwyd llawer o'u gwaith, a blynyddoedd yn ddiweddarach –
tua 1840 – cyfieithwyd ef i'r Saesneg gan James Clarence Mangan. Yn
ôl ei dystiolaeth ef, wrth gyfieithu byddai bob amser yn ceisio glynu
wrth yr un mesur â'r gwreiddiol, a chan fod y ffurf Saesneg a roddodd
ef ar waith beirdd Croom yn limrigol yn ei hanfod, rhaid derbyn mai
siâp a symudiad tebyg oedd i'r cerddi Gwyddelig gwreiddiol. Dyma
ddau bennill o blith cyfieithiadau Mangan – y cyntaf gan O'Toumy
a'r ail gan McCrath:

I sell the best brandy and sherry,
To make my best customers merry,
    But at times their finances
    Run short as it chances,
And then I feel very sad, very.

Both your poems and pints by your favour,
Are alike wholly wanting in flavour,
    Because it's your pleasure
    You give us short measure,
And your ale has a ditch-water savour.

Ond taflu dŵr oer ar hyn a wneir gan yr hanesydd Americanaidd George N. Belknap. Nid oedd Mangan yn medru'r Wyddeleg, meddai ef, a'r hyn a oedd ganddo i weithio arno oedd cyfieithiadau rhyddiaith o'r penillion gwreiddiol a ddarparwyd ar ei gyfer gan gyfoeswr o'r enw John O'Daly, a oedd yn rhugl yn yr iaith. Eto mae'n cyfaddef nad yw'r penillion gwreiddiol hyn, a argraffwyd gyferbyn â chyfieithiadau Mangan yn ei gyfrol *The Poets and Poetry of Munster* (1849), yn annhebyg o ran ffurf i'r limrig. '[They are],' meddai, 'five-line stanzas that parallel the three-two-foot requirement of the limerick but lack the equally essential meter and rhyme requirements.' Y casgliad a ddaw iddo yn y diwedd yw: 'Mangan's verses owe little, in form, to the Irish language.' A defnyddio ymadrodd diweddar, nid yw'r rheithgor wedi dod i benderfyniad eto ar gwestiwn y cysylltiad rhwng enw'r mesur a'r ddinas Wyddelig.

Pe gellid sefydlu cysylltiad Gwyddelig byddai angen, o bosib, esbonio paham mae'r cyfeiriadau cynharaf mewn print o'r gair *limerick* i gyd yn digwydd yn Lloegr. Yn ôl yr *Oxford English Dictionary* daeth y gair i'r Saesneg yn swyddogol yn 1896. Yn y flwyddyn honno ysgrifennodd yr artist ieuanc Aubery Beardsley lythyr at gyfaill iddo, Leonard Smithers (cyhoeddwyd yr ohebiaeth rhyngddynt yn 1970), yn cynnwys y frawddeg, 'I have tried to amuse myself by writing limericks on my troubles but got no further than, "There once was a young invalid, Whose lung would do nothing but bleed,"' gan wahodd ei gyfaill i'w orffen. Pedair ar hugain oed oedd Beardsley ar y pryd, ac yn dioddef o'r diciâu – bu farw ddwy flynedd yn ddiweddarach yn 1898. Plesiwyd ef gan ateb ei gyfaill, ac wrth ysgrifennu eilwaith defnyddiodd y gair eto. 'Your continuation of the limerick,' meddai, 'is superb and quite in the spirit of the first sublime couplet.' Dyna felly, hyd y gwyddys ar hyn o bryd, yr enghreifftiau cynharaf mewn print o ddefnyddio'r gair yn yr ystyr a roddir iddo heddiw. Diau iddo fod ar lafar am beth amser cyn hynny, ond nid am ryw lawer, os oes arwyddocâd i'r ffaith nad oes enghraifft o'i ddefnyddio gan Edward Lear, a fu farw yn 1888. Dilynodd enghreifftiau eraill o *limerick* yn dynn ar sodlau'r defnydd gan Beardsley. Yn wir, rhwng mis Medi a mis Tachwedd blwyddyn ei farw – 1898 – digwydd nifer o weithiau yn *Cantab*, cylchgrawn myfyrwyr Caer-grawnt, lle cynhaliwyd cystadleuaeth limrigau, gan ddefnyddio'r enw hwnnw, ac artist y cylchrawn yn eu darlunio. Yn yr un cyfnod cafwyd sgŵp sylweddol pan dderbyniwyd limrig gan neb llai na Rudyard Kipling, a oedd yn enw pur amlwg yn y byd llenyddol erbyn hynny. Yr oedd y golygydd wedi gofyn iddo am gyfraniad i'r cylchgrawn, ac wedi cynnig telerau, cafodd yr ateb hwn:

> There once was a writer who wrote:
> 'Dear Sir, in reply to your note
> Of yesterday's date,
> I'm sorry to state
> It's no good – at the prices you quote.'

Yn naturiol, yr oedd hwn *yn* gyfraniad i'r cylchgrawn dan sylw, sef gwaith gwreiddiol gan awdur adnabyddus iawn. Gwnaed yn fawr ohono, a bu'n rhaid ailargraffu'r rhifyn arbennig hwnnw i gwrdd â'r galw. O hynny ymlaen y mae'r defnydd o'r gair *limerick* yn lledu'n gyson.

Beth am strwythur a natur y pennill? Mynnodd rhywun unwaith fod y limrig yn ymdebygu i stori fer, ond bod honno wedi ei chostrelu yma i bum llinell. Yn y llinell gyntaf gosodir yr olygfa, a chan amlaf yno hefyd y cyflwynir y prif gymeriad, os oes un. Swydd yr ail linell yw gyrru'r stori yn ei blaen, a chyflwyno cymeriad arall efallai, os

xvi

oes galw. Ymestyn y stori eto a wneir yn y drydedd a'r bedwaredd linell, sy'n llinellau byrrach na'r tair arall, a hynny efallai'n dwysáu'r disgwyliad am yr uchafbwynt – annisgwyl, gobeithio – yn y llinell olaf. Nid yw pob limrig yn syrthio'n dwt i'r amlinelliad hwn, ond fe rydd syniad bras o gynllun y rhan fwyaf ohonynt. Y mae llinell olaf gref yn bwysig, ac odl ddyfeisgar, glyfar bob amser yn gaffaeliad. Gorau oll hefyd os yw'r sefyllfa a ddisgrifir yn un ddigri – chwerthinllyd hyd yn oed – afresymol neu hollol hurt. Ym myd y limrig y mae unrhyw beth a phopeth yn bosib, a chyfrifoldeb y limrigwr yw rhoddi 'tragwyddol heol' i'w ddychymyg. Bydd ambell ddarllenydd o bosib yn teimlo bod blas y pridd yn rhy gryf ar ryw ddyrnaid o'r limrigau a gafodd eu cynnwys yma, ond pwysleisir nad y blas hwnnw oedd y prif reswm dros eu dewis, ond yn hytrach wreiddioldeb a digrifwch y mynegiant.

Mewn gair, mesur ysgafn, cellweirus, direidus ac weithiau amharchus yw'r limrig, heb fod ynddo le i ddifrifoldeb. Er hyn, gwnaed sawl ymdrech yn y gorffennol gan ambell brydydd Cymraeg i'w sobri a'i barchuso. Un o'r rheini oedd Hywel Tudur a ganodd limrig coffa i'r Parchedig John Jones, Brynrodyn:

> Mae'r miloedd bu ef yn eu derbyn
> Trwy fedydd i deyrnas y Duwddyn
> Yn awr yn y nef
> Yn llawen eu llef
> Yn moli'r hen frawd o Frynrodyn.

Prawf pellach, petai ei angen, o anaddasrwydd y mesur i gofio am gyfeillion ymadawedig yw'r canlynol am y gwleidydd T. E. Ellis gan Ap Ceredigion (David Lewis, 1870–1948) a ymddangosodd yn y *Cymru* 'Coch' yn gynnar yn yr ugeinfed ganrif:

> Fe siglwyd ym murmur Môr Meirion
> Grud bachgen freuddwydiodd freuddwydion.
> Ei enw oedd Tom,
> A phwy a ŵyr siom
> Ei wlad, a chlwyf ar ei chalon?

Tri churiad sydd i dair llinell hir y limrig, a dau yn y ddwy linell fer, er y gall y sillafau o'u mewn amrywio. Dylid bob amser geisio osgoi hepgor sillaf mewn unrhyw linell gan y byddai hynny'n creu cam gwag ac yn amharu ar ddarlleniad mesur sy'n dibynnu ar lithrigrwydd ymadrodd i gael ei lawn effaith. Cynllun yr odli yw *aabba*, a diwedd y bedwaredd linell weithiau'n odli â chanol y bumed, yr hyn a elwir yn 'odl fewnol' neu 'odl gyrch'. Ni cheir hyn mewn limrigau Saesneg, oni ddigwydd weithiau ar ddamwain, ond mae'n gyffredin mewn limrigau Cymraeg. Yn y cylchgrawn *Barddas* (Mai 1982), dadleuodd y diweddar R. E. Jones (limrigwr campus ei hun) mai cymysgu 'cyfeiliornus' oedd hyn rhwng y triban [Triban Morgannwg] traddodiadol, brodorol a'r limrig o dras estron. Gogoniant y limrig iddo ef, meddai, yw'r odl ddwbl neu drebl ar ddiwedd y tair llinell hir, a hynny a geir yn ddieithriad, meddai eto, yng ngwaith y meistri cynnar megis Idwal Jones a Waldo Williams. 'Pam na allwn ni impio elfen Gymreig ar bennill a fenthyciwyd o'r Saesneg?' yw ei gwestiwn.

> Yr ateb wrth gwrs yw: Dim rheswm o gwbl, cyn belled â'i fod yn gwella'r pennill gwreiddiol. Ond os wyf yn siŵr o rywbeth, 'rwy'n siŵr nad yw odl gyrch y triban (sydd, yn ei lle priodol, yn cyflawni ei swyddogaeth o yrru'r ergyd adref mewn dull mor odidog) yn gweddu o gwbl i'r limrig ... Y cwbl a wna iddo, gan amlaf, yw creu rhyw herc annymunol yn symudiad y llinell olaf, difetha sŵn y llinell i'r glust trwy amlhau odlau, a gwaeth na'r cwbl, gwanhau a chymylu, yn hytrach na chryfhau'r ergyd sydd, yn y limrig, i ddod yn yr odl olaf. Mewn gair, croesiad anghymarus ydyw'r limrig ag odl fewnol a heb odl ddwbl, o ddau fesur cwbl wahanol eu tras a'u nodweddion – a'r cwbl a geir o'u cyfuno yw bastard na fedd rinweddau y naill na'r llall o'i rieni.

Ychydig fisoedd ynghynt, wrth feirniadu cystadleuaeth wyth o limrigau gwreiddiol yn Eisteddfod Genedlaethol Maldwyn, 1981, meddai W. R. Evans (limrigwr penigamp arall), 'Er nad oes rheol ynglŷn â'r peth, rwyf i'n bersonol yn hoff o odl gyrch mewn limrig.' Ym mhob pen mae piniwn, ond anodd yw derbyn beirniadaeth ysgubol R.E. Jones ar y datblygiad hwn. Ystyrier y limrig canlynol:

Rhyw fore daeth gwraig y drws nesa
Cyn cychwyn am wythnos o wylia,
A dweud, 'Gwnewch yn siŵr
Fod y byji'n cael dŵr,
Dim bwys am y gŵr nes do' i adra.'

Nid hawdd yw ymglywed â 'herc annymunol' yn y llinell olaf yma, a rhwydd y gellid dadlau nad yw'r odl yn gwanhau'r pennill chwaith. Fel yn achos y triban traddodiadol, coroni'r pennill a wna, ac yn yr achos yma, ychwanegu at ei ddigrifwch yn ogystal. Dyma deip o limrig y gellid yn deg ei alw'n 'Limrig Cymreig'.

Mae Gershon Legman, Americanwr a ymddiddorodd yn hanes y limrig, yn honni'n blwmp ac yn blaen mai'r hyn yw'r limrig, a'r hyn a fu o'r dechrau, yw pennill anweddus ('indecent verse-form' yw ei ddisgrifiad). Nid yw'r math gweddus, meddai, yn ddim ond lleddfiad ar y gwir limrig, ac yn werth dim ond i roi boddhad gwirion i hynafgwyr diniwed. Rhyw chwiw, meddai, a ddigwyddodd yn chwedegau'r bedwaredd ganrif ar bymtheg oedd y limrig gweddus, ac yr oedd y mesur wedi dychwelyd i'w hen lwybrau yn fuan wedyn fel rhyw fath o adwaith i limrigau didramgwydd Edward Lear a'i gyfoedion. Ar y llaw arall, y mae eraill o blith haneswyr y limrig yn America – yn enwedig un o'r enw Marco Graziosi – wedi ceisio dangos mai cwbl gyfeiliornus yw'r ddamcaniaeth am dras anweddus y mesur, ac mai'r unig enghraifft, fwy neu lai, ar ôl ei holl bregethu, y gall Legman ei rhoi gerbron i brofi ei osodiad yw pennill, rhywbeth yn debyg i limrig, o'r hen fadrigal Saesneg, 'Sumer is icumen in' (c.1300), sy'n sôn am garw'n torri gwynt. Dadl Graziosi ac eraill yw mai'r adwaith yn erbyn limrigau diddan-ddiniwed Lear yn enwedig yw man cychwyn y limrig anweddus. Beth bynnag am hyn oll, rhaid cydnabod bod genre y limrig anweddus Saesneg yn un hynod o boblogaidd, fel y sylweddolir yn fuan gan unrhyw un a fyn bori yn yr amrywiol a'r niferus gasgliadau sydd ar gael yn yr iaith honno.

Nid felly i'r un graddau yn y Gymraeg, er bod limrigwyr diweddar fel Dewi Prysor a Gareth Jones ('Jôs Giatgoch') wedi troedio'n ddoniolfentrus ar brydiau i lawr y llwybr hwnnw. Yn y feirniadaeth honno ar y gystadleuaeth limrigau yn Eisteddfod Genedlaethol Maldwyn, 1981, meddai W. R. Evans: 'Mae llawer ohonom hefyd yn cofio am limrigau nad oedd yn weddus i'w hadrodd yn gyhoeddus, ond a oedd yn glyfar iawn o ran mydr ac odlau. Saesneg oedd y rheini fel rheol.'

Eto ceir awgrym gan Gwenallt nad oedd y Gymraeg yn gyfan gwbl amddifad o bethau o'r fath. Yn ei gofiant i Idwal Jones, Llambed, y mae'n dyfynnu nifer o limrigau o waith Idwal a rhai o'i gyfoeswyr yng Ngholeg Aberystwyth yn y 1920au, gan ychwanegu y 'gellid dyfynnu rhagor ... ac yn eu plith y goreuon, ond y maent yn amhrintiadwy'. A oes cof am y rheini yn rhywle, tybed? Meddai'r limrigwr Americanaidd Morris Bishop, gan bortreadu'r limrig fel merch ieuanc a all yn hawdd syrthio ar balmant y dref:

> The limerick is furtive and mean;
> You must keep her in close quarantine,
>   Or she sneaks to the slums
>   And promptly becomes
> Disorderly, drunk and obscene.

Ond byddai pori yn y casgliadau Saesneg o limrigau yn dangos hefyd bod corff sylweddol iawn o limrigau gweddus, digri a chlyfar i'w cael, sydd fel y lleill wedi rhoi ac yn para i roi llawer o foddhad a diddanwch i'w darllenwyr, eu hadroddwyr a'u gwrandawyr.

Cyfeiriwyd eisoes fwy nag unwaith at Edward Lear. Y mae tuedd i'w ystyried ef yn dad y limrig Saesneg fel y gwyddom amdano heddiw, ac i gredu mai yn ei lyfrau ef, *Book of Nonsense* (1846) a'r *Book of Nonsense and More Nonsense* (1862), y cafwyd yr enghreifftiau cynharaf o'r mesur. Ond er i Lear chwarae rhan allweddol yn y gwaith o'i boblogeiddio, yr oedd y mesur yn un lled gyfarwydd cyn iddo gyhoeddi ei ddau gasgliad ef, fel y dengys dau gasgliad arall – y ddau'n gyfarwydd i Lear – a ymddangosodd yn gynharach, sef *The History of Sixteen Wonderful Old Women* (1821), ac *Anecdotes of Fifteen Gentlemen* (1822).

Dienw yw'r naill gasgliad a'r llall, ac fe'u darluniwyd gan yr enwog Robert Cruickshank. Yn yr ail gasgliad y daeth Lear ar draws y pennill a'i hysbrydolodd, meddai ef, i roi cynnig ar y mesur ei hun:

> There was a sick man of Tobago,
> Lived long on rice-gruel and sago;
> But at last, to his bliss,
> The physician said this:
> 'To a roast leg of mutton you may go.'

Roedd Lear, a oedd yn artist cydnabyddedig a fu am gyfnod yn diwtor arlunio i'r Frenhines Victoria, yn gweithio ar y pryd, ar gais Iarll Derby, ar gyfres o baentiadau o anifeiliaid ac adar prin a lliwgar a oedd ganddo ar ei stad yn Knowsley, ger Lerpwl. Treuliodd Lear lawer o'i amser wrth ddilyn y gwaith hwn yn difyrru plant y teulu bonheddig, ac nid oedd dim yn eu plesio'n fwy na'i benillion llawn hiwmor a llawn dychymyg. Fel Robert Cruickshank yn gynharach, aeth yntau hefyd ati i ddarlunio'r penillion mewn modd a fyddai'n sicr o apelio at blant, ac i'r sawl sy'n gyfarwydd â hwy y mae eu swyn a'u hanwyldeb yn para mor iraidd ag erioed. Yn wir, nid aeth llyfrau *Nonsense* Lear erioed allan o brint.

Y mae un nodwedd arbennig yn perthyn i limrigau Lear na ddewisodd llawer o neb ei dynwared, sef y duedd a oedd ganddo i ailadrodd y llinell gyntaf ar ddiwedd y pennill, gan gynnwys rhyw amrywiad bychan weithiau:

> There was an old man of Dunbree
> Who taught little owls to drink tea;
> For he said, 'To eat mice
> Is not proper or nice',
> That amiable man from Dunbree.

Dilyn yr hyn a welsai yn y casgliadau cynharach o limrigau a enwyd uchod a wnaeth Lear yn hyn o beth, ond gwelwyd yn fuan iawn gan ei ddilynwyr a'i ddynwaredwyr ef ei hun mai gwastraff ar linell oedd hyn, a daeth llwyddiant y math hwn o bennill i ddibynnu, gydag amser, ar gryfder y llinell olaf, ar y tro yn y gwt, megis.

Yn ystod 1907 ac 1908 meddiannwyd Prydain gyfan gan ysfa limrigol, a Langford Reed, golygydd y cylchgrawn poblogaidd *London Opinion*, oedd yn gyfrifol am hynny. Dechreuodd osod cystadleuaeth limrig yn ei gylchgrawn lle gofynnid am un llinell i orffen y pennill, ac fe'i dilynwyd gan nifer o gylchgronau a phapurau eraill. Yr oedd gofyn i'r cystadleuydd anfon chwecheiniog gyda phob cais, a hynny yn ei dro yn galluogi'r gwahanol gyhoeddiadau i gynnig gwobrau eithaf sylweddol. Meddai Langford Reed yn ei lyfr, *The Complete Limerick Book* (1926):

> Very large prizes were offered, and for months a considerable proportion of the population derived their principal 'literary' diversions from the cult of the Limerick which formed one of the chief topics of their conversation.

Tyfodd diwydiant bychan o gwmpas y diddordeb newydd hwn ac yn fuan yr oedd modd prynu llinellau olaf gan bobl a'u gwerthai, gan sicrhau y byddai llwyddiant yn dilyn o'u defnyddio. Meddai Reed amdano ef ei hun:

> The author knows a young Civil Service clerk who ran a business of this kind during his ample leisure hours and who in less than six months, cleared a profit of more than £200 – or nearly three times his salary during that period!

Am gyfnod o leiaf bu'r limrig – y mesur distadl hwn – yn hwb i economi gwlad. Ym mis Gorffennaf 1908, mewn araith yn Nhŷ'r Cyffredin, cyhoeddodd y Postfeistr Cyffredinol ar y pryd fod y cyhoedd, yn ystod y chwe mis blaenorol, lle byddent yn arferol wedi prynu rhwng saith ac wyth mil o archebion post chwecheiniog, wedi prynu 11,400,000 ohonynt. Priodolai hynny i'r chwiw limriga.

Cyffyrddodd yr ysfa limrigol hon ar Gymru oherwydd dyma'r adeg y ceir y cyfeiriadau Cymraeg cyntaf at y pennill yn ymddangos. Cyn cofnodi'r rheini, fodd bynnag, dylid cyfeirio at ddau beth wrth basio. Yn *Y Brython*, papur newydd a gyhoeddid yn Lerpwl gynt, yn un o rifynnau mis Awst 1930, cofnodir nifer o rigymau a godwyd, meddai'r nodyn sydd wrthynt, oddi ar gof William Davies, Treuddyn, a oedd y flwyddyn honno o gwmpas ei bedwar ugain oed. Rhigymau a ddysgodd, meddai, pan oedd yn blentyn yn Llanarmon-yn-Iâl oedd y rhain. Dyweder, felly, ei fod wedi eu dysgu pan oedd o gwmpas ei ddeg oed, a dyna fynd â ni'n ôl i chwedegau cynnar y bedwaredd ganrif ar bymtheg, yn ôl i gyfnod Edward Lear ei hun. Ymhlith y rhigymau y mae hwn:

> Mi es i'r Rhyl i rolio,
> Mi gymrais arnaf swagro,
>   Mi welais dderyn
>   A phig yn ei gorun
> A merch Siôn Gruffydd yn gwthio.

Nid oes rhyw lawer o synnwyr yn perthyn iddo, ond y mae yn nhraddodiad y cerddi dwli, 'nonsense verse', ac yn sicr o ran siâp a phatrwm odli y mae'n perthyn o bell i'r limrig. Am faint y bu hwn ar lafar gwlad, tybed, cyn i William Davies ei ddysgu, ac a oedd rhai eraill tebyg iddo yn cael eu hadrodd o ben i ben?

Yr ail beth i'w nodi wrth basio yw'r cyfeiriad diddorol at gyfansoddi limrigau Saesneg eu hiaith ar dir Cymru ac yn enwi mannau yng Nghymru, mor gynnar ag 1862, a hynny gan neb llai na William Ewart Gladstone, chwe blynedd cyn iddo ddod yn Brif Weinidog am y tro cyntaf. Y diweddar Athro Colin Matthew o Rydychen sy'n cofnodi'r hanes yn un o'i gyfrolau ar Gladstone. Byddai'n arfer gan y gwleidydd a'i deulu fynd am ychydig o seibiant weithiau yn Awst o'u cartref ym Mhenarlâg i Benmaen-mawr, ac yno, ar ambell brynhawn gwlyb, eu difyrrwch fyddai llunio penillion ysgafn gyda'i gilydd. Dyma ddwy enghraifft o waith Gladstone ei hun sy'n enwi Ewloe a Brychtyn, dau bentref heb fod nepell o'i gartref yn sir Fflint:

> There was an old woman of Ewloe,
> Her habits were really too low,
>   She drank like a fish
>   And she ate off a dish,
> This ill-mannered old woman of Ewloe.

There was an old woman of Broughton
Whose deeds were too bad to be thought on,
　　She poisoned a brother
　　And throttled another,
This flagitious old woman of Broughton.

Dau bennill, gyda'u hodlau dwbl, a'r llinell olaf yn adleisio'r gyntaf, sy'n awgrymu bod eu hawdur yn hollol gyfarwydd â gwaith Lear a'i ragflaenwyr. 'These would today be called Limericks,' meddai Colin Matthew mewn troednodyn: 'Gladstone called them "Penmaenmawrs" after the resort he was visiting at the time. It may well be that this sort of nonsense verse was commonly called by its place of composition,' gan feddwl, o bosib, am y ddadl ynghylch yr enw *Limerick* ar y mesur. Ond bu bron i Gymru gael ei henw ei hun ar y mesur hwnnw, a chael wedyn 'Cystadleuaeth y Penmaen-mawr' mewn llu o fân eisteddfodau, a chystadleuaeth 'Penmaen-mawr y Dydd' yn yr Eisteddfod Genedlaethol.

Fel y soniwyd uchod, effeithiwyd ar Gymru hefyd gan chwiw limrigol a ysgubodd trwy Loegr yn ystod 1907 ac 1908 yn bennaf. Yn y *Cymru* 'Coch' ym mis Mawrth 1908, yng nghanol y bwrlwm limrigaidd mawr hwn y mae Langford Reed yn sôn amdano, mae O. M. Edwards, yn y golofn fisol a oedd ganddo ar ddiwedd pob rhifyn lle atebai ymholiadau, yn dweud:

> Yr wyf yn derbyn cwestiynau ynghylch *limericks* beunydd.
> Gofyn un pam nad oes rhai yn yr iaith Gymraeg. Y
> rheswm yw hyn – y maent yn ddull rhy elfennol i apelio
> at chwaeth y bardd Cymreig. Y mae rhywbeth yn debyg
> yn y *limerick*, pan ar ei oreu, i'r englyn. Ceir yr un trawiad
> hapus yn niwedd y ddau. Ond perthyn yr englyn i gylch
> uwch o wareiddiad a chwaeth mewn llenyddiaeth.

Er hynny, dod i ryw fri a wnaeth y mesur yng Nghymru hefyd yn y cyfnod arbennig hwn. Ym mis Ionawr 1909 y mae *Papur Pawb* yng Nghaernarfon, a T. Gwynn Jones wrth y llyw, yn gosod cystadleuaeth limrig am y tro cyntaf. Yr oedd disgwyl i bob ymgeisydd anfon chwe stamp dimai, neu dri stamp ceiniog, gyda phob llinell o'i eiddo. Cyfnod yr ymdrech fawr rhwng Lloyd George a Thŷ'r Arglwyddi oedd hwn, a dyna, mae'n debyg, gefndir y pedair llinell a osodwyd:

> Sŵn bygwth a glywir trwy'r wlad
> Yn erbyn 'r Arglwyddi a'u brad,
> Eu culni a'u twyll
> Yrr Gymro o'i bwyll …

Y llinell fuddugol, a roddodd bum swllt (coron) ym mhwrs Miss M. Evans o Clogwyn Farm, Dolgellau, oedd:

> Heb 'drwydded' fe'u crogai yn rhad.

Tebyg mai Lloyd George, yn nhyb y limrigwraig, oedd y 'Cymro' yn y pennill, a byddai'n barod i grogi'r holl arglwyddi penstiff a wrthwynebai ei ddiwygiadau cymdeithasol, a hynny heb drwydded na chaniatâd. Miss M. Evans, felly, oedd y person cyntaf erioed, hyd y gwyddys, i ennill gwobr am limrig Cymraeg. Oni ddylai fod cerflun ohoni ar y sgwâr yn Nolgellau?

Bu'r gystadleuaeth hon yn *Papur Pawb* yn un lwyddiannus a phoblogaidd. Yn un o rifynnau 1909 ceir cartŵn tudalen blaen o ŵr yn swagro trwy bentref, ei frest yn chwyddedig, a gwên hunanfodlon ar ei wyneb. Yn syllu arno'n mynd heibio y mae dau henwr, ac meddai un wrth y llall, 'Randros! Be sy wedi digwydd i Now Thomas? Ydi o wedi cael ei wneud yn Aelod Seneddol?' 'Gwell na hynny o lawer, Siôn', yw ateb y llall. 'Mae o wedi ennill y *limerick* ym *Mhapur Pawb*.'

Yna yn yr un flwyddyn – 1909 – digwyddodd newid diddorol. Cyhoeddodd *Papur Pawb* ei fod 'ar gais amryw o gystadleuwyr … yn rhoi pennill ar fesur Cymreig i'w orphen yn lle y Limerick', a'r un a gafwyd, ar ddelw'r hen benillion neu benillion telyn, oedd:

> Llwm yw'r maes a llwm yw'r mynydd,
> Llwm yw'r fun heb ddillad newydd,
> Llwm yw'r pen, rhaid cario perwig …

Cwblhau penillion felly fu hanes y gystadleuaeth o hynny ymlaen, a dyblwyd y wobr i ddeg swllt, a choron i'r ail. Serch hynny, hyd at ddiwedd oes y golofn arbennig hon yn y papur, ni newidiwyd ei phennawd, sef 'Cystadleuaeth y Limerick'.

Ni fu fawr o ddefnydd ar y limrig yn y Gymraeg wedyn hyd ar ôl y Rhyfel Mawr. Yn y coleg yn Aberystwyth yn y cyfnod hwnnw fe ddaeth Idwal Jones a Waldo Williams i adnabod ei gilydd, a chael bod y mesur arbennig hwn yn taro i'r dim i'w synnwyr digrifwch hwy. Roedd Idwal wedi ymddiddori yn y limrig cyn dod i'r coleg. Mewn llythyr a ysgrifennodd yn 1915 at ei deulu o wersyll milwrol yng Nghaersallog, mae'n cyfeirio at 'fachgen yma wrth fy ochr o'r enw Fred Snowdon ... Yr oedd ef a mi yn ysgrifennu *limericks*, un yn ateb y llall'. Limrigau Saesneg fyddai'r rhain yn ddiau, a hyd y gwyddys nid ydynt wedi goroesi, na chwaith unrhyw limrigau Cymraeg y gallai Idwal fod wedi eu llunio yn yr un cyfnod.

Yr unig limrig Cymraeg o'r cyfnod, sy'n perthyn fel mae'n digwydd i'r un flwyddyn – 1915 – y digwyddwyd taro arno yw un o waith Cymro alltud yn America. 'Hen Baffiwr' yw'r ffugenw a ddefnyddir ganddo, ac fe'i cyhoeddwyd yn *Y Brython*, a oedd yn ei dro wedi ei godi o'r *Drych*, papur newydd a gyhoeddid yn Utica. Corddwyd yr 'Hen Baffiwr' gan yr heddychwyr a oedd yn hwyrfrydig i fynd i'r afael â'r Kaiser, a mynegodd ei deimladau mewn limrig, ond un pur ddifrifol ei naws:

> Egwyddor lymrigaidd a thrist
> Yw eiddo y llip basiffist,
>   Sef gadael i ddrwg
>   Ffordd lydan ddi-wg,
> A hynny er mwyn Iesu Grist.

Yn y coleg yn Aberystwyth ar ôl y Rhyfel Mawr aeth Idwal Jones a Waldo Williams ati o ddifri i lunio ugeiniau lawer o limrigau. Fe gofir i Idwal gyflwyno'i gyfrol *Cerddi Digri a Rhai Pethau Eraill* fel hyn:

> I Waldo Goronwy Williams, am fy nghadw ar ddi-hun
> y nos yn cyfansoddi limrigau, lawer tro, pan ddylaswn
> fod yn cysgu.

Digwyddai'r cyfansoddi yma'n ogystal yn y ffreutur uwchben coffi, meddai Gwenallt yn ei gofiant i Idwal, a dilynwyd yr esiampl gan eraill. Anodd gwybod erbyn hyn pwy yw awdur rhai ohonynt. Byddai rhai'n cael eu llunio ar y cyd, meddai Gwenallt eto, un yn cyfrannu'r llinell gyntaf neu'r olaf, un arall yn ychwanegu llinell, a rhywun arall eto'n gorffen y pennill. Yr unig limrigau y gellir bod yn sicr mai Idwal Jones a'u lluniodd yw'r ddau a gynhwyswyd yn ei ddau gasgliad o gerddi, y tro cyntaf i unrhyw un gyhoeddi limrigau Cymraeg mewn cyfrol.

Dilynwyd Idwal a'i gyfoeswyr gan do iau o limrigwyr, llawer ohonynt yn llunio cerddi ysgafn o bob math ar gyfer y radio, yn eu plith W. R. Evans, W. D. Williams, R. E. Jones, Jacob Davies, Jack Oliver ac yn y blaen. Mynd o nerth i nerth fu hanes y limrig o hynny ymlaen. Parhaodd i ymddangos mewn llu o raglenni eisteddfodau lleol fel cystadleuaeth llinell goll yn bennaf, ond weithiau fel cystadleuaeth llunio pennill cyfan i linell osodedig. Yn chwe degau'r ugeinfed ganrif dechreuodd yr Urdd gyhoeddi'r cylchgrawn ysgafn *Blodau'r Ffair*, a fu'n gartref i ugeiniau lawer o limrigau yn ystod y blynyddoedd y bu'n ymddangos. Rhoddwyd lle cyson iddo hefyd ar raglenni radio megis *Talwrn y Beirdd*, *Dros Ben Llestri* a *Pwlffacan*, a bob blwyddyn ym mis Awst yn y Babell Lên cynhelir cystadleuaeth 'Limrig y Dydd' o ddydd Mawrth i ddydd Gwener – cystadleuaeth hynod o boblogaidd sy'n denu rhwng hanner cant a thrigain o geisiadau, weithiau mwy – yn ddyddiol.

Bychan ar y cyfan fu apêl y limrig at ein prif feirdd a'n llenorion, ond nid felly dros y ffin yn Lloegr. O ddyddiau Lear a Rudyard Kipling ymlaen bu'r mesur hwn yn ffefryn mawr gan feirdd a llenorion o fri yn y byd Saesneg ei iaith. O bori yn y casgliadau Saesneg sydd ar gael, ni ellir llai na sylwi bod enwau megis Lewis Carroll, Algernon Swinburne, Tennyson, Robert Louis Stevenson, Arnold Bennett, John Galsworthy, Bernard Shaw, T. S. Eliot ac yn y blaen, yn eu britho. Ar yr ochr arall i'r Iwerydd lluniwyd limrigau gan Oliver Wendell Holmes, Mark Twain ac eraill. Soniwyd eisoes am limrigau gan Waldo Williams. Ar un tro yn unig, hyd y gwyddys, y denwyd T. Gwynn Jones

i fyd y limrig pan ganodd am ddamwain ddychmygol yn Llangawsa
(Llainygawsai), rhwng Aberystwyth a phentref Llanbadarn Fawr,
adlais efallai o'r dyddiau pan oedd y papur a olygai – *Papur Pawb* –
yn gosod y gystadleuaeth honno:

> Aeth bachgen am dro i Langawsa
> I'r ffair, ond daeth bws ar ei draws-a,
> Pan aethpwyd i'w hel o
> Fe gafwyd, pŵr ffelo,
> Mai'i sgubo fe lan fyddai hawsa.

Un limrig – eto hyd y gwyddys – sydd ar glawr o waith yr hanesydd
Gomer M. Roberts, sef un a ysbrydolwyd gan yr enw hynod hwnnw
ar fferm ger Caerfarchell yn sir Benfro, sef Trewellwell:

> Byddai'n well gen i fyw yn Nhrewellwell
> Na byw mewn rhyw babell neu hellgell;
> Pe bawn i mor ffôl
> Â mynd i'r North Pôl,
> Awn yn ôl i Drewellwell o bellbell.

Hanesydd a llenor arall a fentrodd lunio limrigau oedd R. T. Jenkins.
Mewn erthygl hynod o ddiddorol yn *Y Llenor* yn 1939 cyhoeddodd
nifer ohonynt, gan eu tadogi ar awduron dychmygol. Hwyrach mai
hwnnw am y cadno yw'r un mwyaf adnabyddus:

> Ro'dd cadno yn ardal y Bala
> Na allse'r un Northyn mo'i ddala,
> Ond fe halw'd sha thre
> Rw fachan o'r De –
> Ac fe'i dalws e, do, reit-i-wala.

Colled i'n traddodiad o farddoniaeth ysgafn yn ddiau yw'r ffaith
na ddaeth yr awen limrigol heibio beirdd a llenorion megis Saunders
Lewis, T. H. Parry-Williams, R. Williams Parry, W. J. Gruffydd – a
Kate Roberts.

Yn y casgliad hwn ceir ychydig dros 400 o limrigau a ddewiswyd o blith cynhaeaf mwy o lawer. Er mwyn osgoi dyblygu deunydd, penderfynwyd peidio â chynnwys y 200 limrig a gyhoeddwyd yn y gyfrol fechan *Limrigau* yn y gyfres Pigion 2000 (Gwasg Carreg Gwalch, 2000), ond hyd yn oed wedyn, er mwyn rhoi pen ar y mwdwl yn rhywle, bu'n rhaid ymwrthod â chymaint arall, o leiaf, ag a geir isod. Daethpwyd ar draws y rhai a welir yma mewn amrywiol ffynonellau, yn gyfrolau, cylchgronau a phapurau newydd. Bu'r cylchgrawn *Blodau'r Ffair*, a gyhoeddwyd gan Urdd Gobaith Cymru rhwng 1953 ac 1976, a'r gyfres Pigion Talwrn y Beirdd yn feysydd arbennig o ffrwythlon i gywain ynddynt, ac felly hefyd y casgliadau a gafwyd fel ymateb i gystadleuaeth a osodwyd gan Robin Gwyndaf yn Eisteddfod Powys, Edeyrnion, 1981, sef 'Casgliad o Limrigau a Llinellau Coll'. Gwelir ffrwyth y gystadleuaeth honno yn Amgueddfa Werin Cymru yn Sain Ffagan, a chyda gwerthfawrogiad am eu llafur y nodir enwau'r rhai a anfonodd ddeunydd, sef Mary Jones, Cross Inn, Llan-non; Elizabeth Reynolds, Blaenhoffnant a Dewi Jones, Benllech. Ceir yno hefyd gasgliadau o limrigau o waith personol D. H. Culpitt, Cefneithin, a Dan Williams, Pontrhydfendigaid, a bu pori ynddynt yn bleser o'r mwyaf. Bob blwyddyn, ar ôl yr Eisteddfod Genedlaethol, bydd ar gael bentwr o gynhyrchion sy'n deillio o gystadleuaeth 'Limrig y Dydd' yn y Babell Lên. Un enillydd gan amlaf a geir yno, oni rennir y wobr weithiau, gan adael hyd at ddeugain neu fwy bob dydd – rhai ohonynt yn wirioneddol dda – heb gof amdanynt ar ôl eu darllen i gynulleidfa garedig y Babell. Bu'r gyfrol hon yn gyfle i wneud iawn i raddau am hynny, a hwy yw'r mwyafrif o ddigon o'r rhai a briodolir i 'Anad.' isod. Hyderir y bydd eu hawduron yn gwerthfawrogi mai gorchwyl anodd iawn fyddai ceisio dod o hyd iddynt y tu ôl i'w ffugenwau, a hynny dros nifer go dda o Eisteddfodau Cenedlaethol erbyn hyn. Anogir yn garedig y rhai hynny a fydd yn adnabod eu gwaith yn y tudalennau sy'n dilyn i dorri eu henwau o dan eu campweithiau, gan sicrhau'r clod a'r mawl sy'n ddyledus iddynt gan deulu a chydnabod. Y mae ar bob un ohonom a fu'n beirniadu 'Limrig y Dydd' dros y blynyddoedd ddyled i'r cystadleuwyr ffyddlon hyn am lawer o fwynhad, a hefyd i Dafydd Islwyn, ysgrifennydd hynaws a gweithgar Barddas, am ddiogelu eu cynhyrchion o flwyddyn i flwyddyn.

Pan welir llinell o limrig mewn llythrennau *italig*, ystyr hynny yw mai llinell a osodwyd mewn cystadleuaeth ydyw, ac nid o angenrheidrwydd gystadleuaeth 'Limrig y Dydd'.

Troeon Trwstan

1

Â'i fysedd y cyfrai Wil Gowan
I fyny at dair mil ar hugian,
   'Rôl cwymp yn y gwaith
   A llawdriniaeth go faith
Dim ond hyd at saith eith o rŵan.

Jôs Giatgoch

2

Aeth Aelod Seneddol i ffwdan –
Canfasio yr oedd wedi'r cyfan,
   Ca'dd dipyn o nam,
   A wyddoch chi pam?
Cusanodd y fam yn lle'r baban.

Arwel Jones

3

Aeth Aled i weled ei dduw
Wrth drwsio tanc petrol car Huw.
   Mae'n debyg mai Siân
   A aeth ato am dân
Oedd yr olaf i'w weld o yn fyw.

Jôs Giatgoch

4

Aeth Dai Bach drws nesa i'r casino
Gan feddwl gwneud ffortiwn ar fingo;
    Ond dyna dro cas,
    Cyn hir fe dda'th ma's
A dim ond 'i bants o'dd amdano.

Anad.

5

Aeth Susan am dro tua Beulah,
Ond collodd ei ffordd yn y neul; ah
    Pan holwyd, 'Ble'r ei di?'
    Atebodd mei leidi:
'Fase'n dda gen i gyrraedd yn rheulah.'

David Price

6

Agorais fy llygaid un bora
A mynd ati i lunio limriga,
    Doedd cael odlau dwbwl
    Ddim mymryn o drwbwl,
Ond fedrwn 'im cael llinell ola.

Anad.

7

Annwyl Siôn Corn, mae y Misus
Yn gweiddi am gymorth dy frwshys.
    Ers dydd y presanta
    Mae 'na garw'n y simdda
Ac mae'r cena 'di cael rigor mortis.

Robin Lloyd Jones

8

(Mewn naid barasiwt mae'n arferiad
gweiddi 'Geronimo!' cyn tynnu'r llinyn)

Ar ôl naid o awyren un tro
Wrth barasiwt, clywid 'rhen Jo
    Ar ôl hitio'r ddaear
    Yn sibrwd yn glaear:
'Beth oedd enw'r hen Indiad 'na 'to?'

Lyn Ebenezer

9

'Beware of Manhole' meddai'r rhybudd,
Ac ynddo boi'r cownsil ga'dd awydd
    I roi statws i'r iaith
    A'i gyfieithu a wnaeth –
Mae nawr ma's o waith er cywilydd.

Arwel Jones

10

Bu'n rhaid i mi ffonio cymodwr
I gwyno am Now'r adeiladwr,
    Y diwrnod o'r blaen
    Fe dynnais y tsiaen
A'r teli ddaeth 'mlaen yn y parlwr.

Jôs Giatgoch

11

Er imi ei siarsio a'i siarsio,
A mynd allan o'm ffordd i'w rybuddio,
    Gan sôn bod 'na greigia
    A throbwll a thynfa,
'Don't speak Welsh,' meddai'n sychlyd cyn neidio.

Arwyn Roberts

12

Fe gredai rhyw foi o Gwmsychbant
Y gallai e hedfan yn bendant;
    Lledaenodd ei edyn,
    Ond cofiodd yn sydyn
Wrth ddisgyn, am ddeddfau disgyrchiant.

Anad.

13

Hen ddyn bach o Lŷn ddaru brynu
Un ddoli fawr rwber a'i chwythu,
    Pan rwbiodd ei bol
    Fe ffrwydrodd y ddol,
Does neb wedi'i weld ar ôl hynny.

Edgar Parry Williams

14

Hen leidr di-lun o Benmachno
A ffrwydrodd ddrws banc yn Llandudno,
    Disgynnodd i'r llawr
    Ar sgwâr Penmaen-mawr
A'r sêff mewn rhyw awr ar 'i ôl o.

R. M. Williams

15

Hen wreigan yn byw yn y Borth
Aeth allan i brynu dwy dorth;
    Wrth adael y lle
    Trodd i'r chwith, nid i'r dde,
A nawr mae ar goll yn y north.

Anad.

16

'Hwyrnos a gwawr yn ymrafal'
Oedd hanfod cerfluniau Huw Cynwal,
   Ni ddalltai Now Wyn
   Am ryw bethau fel hyn
Ac fe'u taflodd i'r bin efo'r sbwrial.

Jôs Giatgoch

17

I slimio cafodd gwraig o Gwm-ann
Dabledi drwy'r post o Siap-an,
   A nawr yn y gwely
   Mae'i gŵr hi yn methu
Ei ffeindio er chwilio 'mhob man.

Hedd Bleddyn

18

Lord Nelson a gollws – mae'n hysbys –
Ei fraich mewn rhyw ffrwgwd enbydus,
   A wedyn mewn chwincad
   Fe gollws ei licad –
Wel diawch bois, 'na fachan esgeulus.

Tegwyn Jones

19

Llawfeddyg esgeulus oedd Pŵal,
Ar ôl iddo weithio ar Hŵal
   Dangosodd Ecs-Re
   Gwpaned o de
Wedi'i gadael ar ôl yn ei fŵal.

Jôs Giatgoch

20

Medd Blodwen, 'Mi gefais anhawster
Pan dorrodd elastig fy nicer
    Ar lwyfan yr Ŵyl,
    Ca'dd y dorf fwy o hwyl
Na gweld cystadleuaeth y Gader.'

Anad.

21

Mewn gornest yn erbyn Waun-fawr
Disgynnodd fy englyn i'r llawr.
    Aeth gast Anti Beti
    Â fo dan y seti –
Nid yw ond conffeti yn awr.

Jôs Giatgoch

22

Mi ddeuthum i Steddfod y Faenol,
Ches 'im gwobr am gerdd nac am gyfrol,
    Dim gwobr am ganu
    A dim am lefaru,
Mae'n ddrwg gen i fod mor negyddol.

Anad.

23

Pan oedd wrtho'i hunan yn crynu
A llewod o'i amgylch yn rhythu,
    Sgrifennodd yn brysur
    Air ola'i ddyddiadur:
'So far rwy 'di joio'r saffari.'

Dai Jones (Crannog)

24

Parciodd William ar un llinell felen,
Fe'i cosbwyd am greulondeb diangen,
    Nid am fethu gweld sein
    Y cafodd y ffein –
Roedd y lein reit rownd helmed y warden.

Ifan Roberts

25

'Peryglus,' medd gwleidydd pen pop,
'Yw arwyddion a'r Gymraeg ar y top.'
    Aeth i'w fedd fel mae'n digwydd
    Drwy fethu â gweld arwydd,
Ac un Saesneg oedd honno, sef 'Stop.'

Megan Evans

26

Pnawn ddoe ar y sgwâr ym Mhrestatyn
Daeth yr alwad, a churais yn sydyn
    Ar ddrws Mrs Gee;
    Doedd dim toiled 'da hi,
Ond roedd tri gan ei merch hi gyferbyn.

Anad.

27

Roedd bachan o ardal Tre-gŵyr
Am dorri'r *sound barrier* yn llwyr,
    Wrth fynd draw i Bengôl
    Cwrdd â'i hun wrth ddod 'nôl,
A ble mae e nawr? Duw a ŵyr.

Hywel Mudd

28

Roedd bachan yn ymyl Nant-mêl
Yn talu â siec mewn rhyw sêl,
    Ond clywais i heno
    Fod y siec wedi bownso
A'i fod yntau, pŵr dab, yn y jêl.

W. J. Gruffydd (Elerydd)

29

Roedd bachgen o ardal Blaengarw,
Am fwyta yr oedd o'n un garw,
    Aeth i'w wely min nos
    Ar ôl lam a mint sôs,
Pan ddihunodd yr oedd wedi marw.

R. E. Jones

30

Roedd coedwr yn fforest Natal-w
A'i fwyell yn od o ddi-ddal-w,
    Gan taw beth a ddigwyddodd
    P'un ai 'i afael a slipiodd,
Ond fe gropiwyd ei beth-ych-chi'n-galw.

Anad.

31

Roedd fy nhad eisiau ennill y tedi
Am saethu yn Sioe Bach Llangefni,
    Roedd y baril yn gam
    A saethodd fy mam –
Ond cafodd bot jam yn ei lle hi.

Arwyn Roberts

32

Roedd geneth fach hynod o dlos
Yn rhoi gwers ar yr haul ym Mlaen-ffos,
    I mewn cerddodd tiwtor
    A chlamp o inspector;
Machludodd yr haul – aeth yn nos.

?Neli Davies

33

Roedd Prysor yn ymddwyn fel prat
Pan gafodd o slap efo bat.
    Er gwaetha ymdrechion
    Yr holl lawfeddygon
Mae ochor ei ben dal yn fflat.

Jôs Giatgoch

34

'Rôl bwyta ffa pob yn ormodol
Gallai Twm dorri gwynt yn gerddorol,
    Ond teimlai yn flin
    Na ddôi dim o'i din
Ond 'God Save the Queen' yn dragwyddol.

Anad.

35

'Rôl cymryd un lwc ar y babi
I'r bin aeth pob 'Lili' a 'Pabi';
    'No wê', meddai Waldo,
    'Dim fi ydi 'i dad o –
Mae'n edrach fel Robert Mugabe.'

Jôs Giatgoch

36

Rwy'n dal i alaru am Marged,
Fe syrthiodd o'r trên yn Rhydgaled,
   Roedd y drws heb ei gau,
   Ac mae'r dagrau'n parhau –
Roedd tocynnau ni'n dau yn ei phoced.

Anad.

37

'Rhaid bwyta yn iach,' meddai Guto,
'Dim braster, dim byd wedi'i ffrio.'
   Fe ffêdiodd i ffwrdd
   I rywle dan bwrdd;
Câi g'nebrwng pe medrwn ei ffeindio.

Huw Erith

38

Rhoes dandi, am bumpunt o fet,
TNT ar flaen sigarét;
   'Ŵyr neb lle mae'i sbats,
   Ei waled na'i wats,
Ta beth, mae'r tei-bo yn Tibet.

Dafydd Owen

39

Rhyfeddais pan glywais y stori
Fod porthladd i'w gael yng Nghaergybi,
   A bod posib dal fferi
   Draw i Dún Laoghaire,
A minna 'di nofio o Bwllheli.

Dewi Prysor

40

Rhyfeddais pan glywais y stori
Hanner awr i gael dwsin mewn Mini,
   Ac wedi troi chwech
   Fe darodd un rech –
Roeddent allan am bum munud wedi.

Dewi Prysor

41

Rhyw fore daeth gwraig y drws nesa
Â Chinese i ginio i'w fwyta;
   Ar ôl paratoi
   Y gwin a'r sôs soi
Dihangodd 'rhen foi nôl i China.

Anad.

42

Rhyw *guru* mawr blewog o'r India
A ddaru ddarganfod 'rôl ista
   Heb air a heb arwydd
   Am wythnos yn llonydd
Ei fod newydd golli'r bws ola.

Edgar Parry Williams

43

Rhyw lanc roddodd winc yn ei flys
Ar Granogwen (Miss Sarah Jane Rees),
   Ond yn hytach na gwên
   Neu rhyw sibrwd bach clên
Cafodd glec dan ei ên, iff iw plis.

Tegwyn Jones

44

Teithio a wnaeth dros y moroedd
A dringodd yr uchaf fynyddoedd,
   Ond wedi dod adra
   Disgynnodd lawr grisia –
Oedd angen eu trwsio ers hydoedd.

Dewi Prysor

45

Trafodwyd mewn pwyllgor ym Miwla
Y dulliau o ddathlu'r milenia,
   A phasiwyd yn unol
   I ddewis ailethol
Y bobol fu wrthi'r tro dwetha.

Wyn James

46

Un bore wrth fwyta fy nghreisiawn
Mi sylwais i fod un o'r gweisiawn
   'Di poeri'n y llaeth
   Ond beth sydd yn waeth –
Doedd be wnaeth o'n y siwgwr ddim yn neis iawn.

Geraint Løvgreen

47

Un diwrnod aeth Robin a finna
I weithio fel labrwrs i'r Wylfa,
   Ond wir galwodd Bob
   Ein mistar yn lob,
A nawr rŷm heb job ers wythnosa.

D. J. Jones

48

Un rhyfedd yw Dafydd drws nesa,
Er unwaith bu'n gall fel 'dech chitha,
    Ond yna rhyw ddydd
    Y llyfr C'neuon Ffydd
A syrthiodd o'r silff ar 'i ben-a.

Anad.

49

Wel wir y mae'n achos i synnu,
Ni fûm yn y toiled 'to heddi,
    Mi fûm – dweud dim llai –
    Ar ddydd Calan Mai,
Ond wythnos i echdoe oedd hynny.

Anad.

50

Wê'n Saesneg bach i'n ddigon carbwl,
Ond dysgu Chinese wnaeth y trwbwl,
    Fe fûm ddigon ffôl
    I dreio darllen am 'nôl,
A nawr fedra 'im darllen o gwbwl.

Owen James

51

Wrth edrych yn ôl rwyf yn credu
(Cyn iddo gael anffawd mewn ffatri
    Pan aeth cogs rhyw fashîn
    Yn rhy agos i'w din)
Fod Ned wedi meddwl priodi.

Dai Rees Davies

52

Wrth fwyta ei bwdin Nadolig
Ca'dd Wiliam ryw bwle o golig.
    Mae nawr, dier mi,
    Yn y dybl-iw-si
Yn disgwyl ten pi o galennig.

Anad.

53

Wrth groesi'r ffordd fawr ym Mhwllheli
Y byrstiodd Samantha'i bicini,
    Pan syrthiodd o'i breichia
    Ddau ddwsin o fala
Aeth llu o blant Adda i'w codi.

Edgar Parry Williams

54

Wrth groesi'r ffordd fawr yn Llanddewi
Ni welais y ceir na'r pum lorri,
    Fe greodd y lot
    Iard sgrap ar y sbot –
Be fedrwn i wneud ond dweud 'Sorri'?

Owen James

55

Wrth lanw y petrol i'r Jag
Aeth Lewis i danio ei ffag,
    Ond ffrwydrodd y cwbwl
    I fyny yn gwmwl
Cyn iddo gael cymaint â drag.

Tydfor

Hi a Fo a Fe a Hi

56

Aeth bachan o ardal Caerwrangon
Ar wyliau am dro i Iwerddon,
   Ond ddaeth e ddim 'nôl,
   Gwynt teg ar ei ôl –
Mae'i wraig e 'da fi yng Nghaernarfon.

Dafydd Huws

57

Ar ôl i mi gyrraedd ym Meifod
Ces lojins 'da gwidw fach hynod
   O neis, ac mae'n bert,
   A byr yw ei sgert –
Sai'n credu ga'i lawer o'r Steddfod.

Anad.

58

Beth gwciaf i heno i Pam?
Un o brydau egsotig Siám?
   Saws mêl a chig moch
   Ar ôl cawl llysiau coch?
'Ta bêcd bîns, tatws pacad a Sbam?

Jôs Giatgoch

59

Ces gêm o bêl-droed draw yn Rugby
A llwythi o aeron yn Bury,
    Ond llawer iawn gwell
    Wedi siwrnai go bell
Oedd orig yn Bath efo Suzy.

Moi Parri

60

Dywedir fod dynion Fourcrosses
Yn methu mynd allan fin-nosys;
    A choeliwch chwi fi,
    Fe glywais i si
Mai'r gwragedd sy'n gwisgo y closys.

Erfyl Fychan

61

Er imi ei siarsio a'i siarsio
Fod blonden rhif deg 'n ei ffansïo,
    'Faint s'ganddi'n y banc?'
    Oedd ateb y cranc,
Bydd hwn yn hen lanc, gallwch fentro.

Dewi Prysor

62

Erstalwm bu Taid ar long hwylia
'Rôl rhoi clec i Myfanwy Siop Gwalia,
    Fe aeth ar ei bwrdd
    Ac fe hwyliodd i ffwrdd
Ac yn awr gennai deulu'n Ostrelia.

Jôs Giatgoch

63

Fe ffeintiodd hen dderwydd Cwm Cafan
Wrth dorri uchelwydd â chryman,
    Ca'dd gusan y bywyd
    Gan ferch o Ddihewyd,
A fel'na dechreuodd y cyfan.

Alun Jenkins

64

Fe gwrddais â rhywun o Tokyo
Heb wybod ai merch neu dyn oedd-o;
    Mae un peth yn siŵr,
    Os oedd o yn ŵr
Roedd rhywbeth o'i le yn ei jîns-o.

Hedd Bleddyn

65

Fe gydiodd rhyw foi o Borth-cawl
Mewn menyw heb ofyn ei hawl,
    Ar ôl ei riportio
    Yr heddlu ddaeth yno
A nawr mae mewn uffern o gawl.

Anad.

66

Fe welais gêm rygbi od llynedd,
Tîm merched yn erbyn bois Gwynedd,
    Nid oedd 'na ddim pasio
    Na rhedeg na chicio
'Mond sgrym fawr o'r dechrau i'r diwedd.

Dai Jones (Crannog)

67

Fy serch rois ar ferch o Landeilo,
Cynigiais ddwy waith ond heb lwyddo,
    Ond gwn am ferch dlos
    Yn ardal Ffair-rhos,
O o's – mae tri chynnig i Gymro.

Jack Oliver

68

Hen ferch reit sidêt yw Jemeima,
A'i chas beth yw dynion, fe honna,
    Er nad yw yn glir
    A yw hynny yn wir,
Mae'i lein ddillad yn siarad cyfrola.

Miriam Owen

69

Hen gnawes o Aberllefenni
A gurai ei phriod, John Benni,
    Ond pan ddeuai Peter
    I ddarllen ei *meter*
Ymenyn ni thoddai'n ei phen-hi.

Anad.

70

Hen lanc digon bethma oedd Ianto
Yn gweithio cemegau Monsanto,
    Fe ddrewai yn ddrwg
    O garbon a mwg,
Doedd ar yr un ferch fach ei chwant o.

Vernon Jones

71

Hen lanc gerllaw tref Aberteifi
Ofynnodd i ddwy ei briodi.
   Er erfyn sawl tro,
   Ei wrthod ga'dd o
A phrynodd fashîn golchi llestri.

Eirlys Hughes

72

I lawr ar y maes carafane
Mae 'nghartre dros dro dan y tonne,
   Gadawaf y gŵr
   I foddi'n y dŵr,
Rwy'n siŵr caf un arall yn rhywle.

Anad.

73

Mae 'nghariad i'n gwisgo gwallt gosod,
Does ganddi ddim blew, rwyf yn gwybod,
   O'i chorun i'w throed,
   Ac rwy'n dweud yn ddi-oed:
'Fu blewyn erioed ar ei thafod.

Edgar Parry Williams

74

Mae Ifan wrth natur yn ofnus,
Mae'n rhywbeth o'r nos cyn cewch swsys,
   Ac mae bron bod yn fore
   Meddai'i gariad, cyn bydd e
Yn dechre gan bwyll datod blowsys.

Anad.

75

'Mae Meri yn fodlon mynd *so far*,'
Mynte Ifan un nos ar y soffa,
    'Hefo Beti a Rose
    A Gwenno, *who knows*?
Ond hefo Miss Jôs ewch chi bella.'

Edgar Parry Williams

76

Mae 'na lawer creadur na ŵyr
Beth ydyw hapusrwydd yn llwyr.
    I geisio ei brofi
    Mae rhai yn priodi
Ac yn deall beth yw – yn rhy hwyr.

Llion Derbyshire

77

Mae pump namyn un yn gwneud pedwar,
Setî – tynnu stôl – yn gwneud cadar,
    Ac mae hi Mari Jôs
    Heb wregys na chlos
Yn gwneuthur un ddynas a hannar.

Jôs Giatgoch

78

Mae'n anodd i wraig benderfynu
Sut mae cadw ei dwydroed rhag rhynnu.
    Ai potel ddŵr poeth
    Ynte'r gŵr a'i din noeth
Yw'r dull mwya doeth o wneud hynny?

Roy Stephens

79

Mae'r gŵr tua dechrau bob blwyddyn
Yn gwneud addunedau diderfyn,
   Dim smoco, dim yfed
   'Ta faint fydd ei syched –
Pa gythrel all fyw 'dag e wedyn?

Mrs Williams, Llangeitho

80

Mae'r wraig acw'n honni yn daer
Iddi dreulio min nos gyda'i chwaer.
   Ei chelwydd sy'n brifo –
   Mi wn i fod honno
Yn caru 'fo fi fyny staer.

Llion Derbyshire

81

Meddai diogyn o'i wely'n Goginan,
'Gwna baned, Siân fach, rwyf am hepian.'
   Meddai hithau, 'Bai dam!
   Dwi'n mynd adre at Mam'
Ac fe gododd a gwneud un 'i hunan.

Anad.

82

Meddai gwraig wrth ei gŵr un ben bora,
'Rwy'n poeni am ddynes drws nesa;
   Mi glywaf, rwy'n siŵr,
   Sŵn dyn yn gwneud dŵr,
A tydi ei gŵr hi ddim adra.'

Edgar Parry Williams

83

Mewn tŷ bach o'r enw Pen-ddôl
Bu Ianto trw'i oes ar y dôl;
   Fe gas e wraig lysti
   A phymtheg o deulu,
Heblaw 'ny, ni wnaeth byger ôl.

Dai Jones (Crannog)

84

Mi gwrddais â merch lan yn Kew
A'i henw oedd Meri Jên Puw.
   Roedd lliwiau ei dillad
   Yn las, pinc a sgarlad,
Chi'n gweld – roedd hi'n dod o Bont-lliw.

Anad.

85

Mi welais wrth rodio ben bora
Ferch noeth yn ymolchi mewn twba.
   'Dowch i mewn,' meddai hi.
   'Na wir,' meddwn i,
'Rhaid mynd, gen i bwyllgor prynhawn 'ma.'

Anad.

86

Pa noson fy mreuddwyd oedd felys
Pan gysgwn yng nghesail y misus.
   Roedd hi'n iawn tan tua phedwar,
   Ond gwnes cythrel o glangar
Trwy ei galw hi'n Mair yn lle Dilys.

Anad.

87

'Pan allwch, dowch ddoctor, at Mari,'
Medd Ifan ei gŵr o Lanelli.
   'Oes peryg i'w heinio's?'
   'Wel na – dewch mewn wythnos,
Ei thafod sydd mewn mangl golchi.'

Anad.

88

Pan glywodd dyn bach o Siám
Fod ei wraig am fynd 'nôl at ei mam,
   Dywedodd, 'O wir!'
   Bu yn meddwl yn hir,
'Gall fynd bore fory se'i am.'

Jack Oliver

89

Pan oeddem yn dathlu ein priodas
Bu'r wraig bron â mynd yn bananas,
   Rhyw grwtyn bach *cheeky*
   Yn fy ngalw i'n 'Dadi' –
Fe gawsom fis mêl digon diflas.

Ifor Owen Evans

90

Pe bawn i yn aelod o gwango
Awn 'da'r sgrifenyddes i deithio,
   Ac wedyn fe gawn …
   Sut mae dweud hyn yn iawn?
(Newidier yr 'a' sydd yn 'bancio'.)

Anad.

91

Prif drysor hen gybydd Llandrillo
Oedd darlun mewn oel gan Utrillo.
   Daeth ei briodas i ben
    A chafodd ffit bren
Wedi i'w wraig lanhau'r llun efo Brillo.

David Price

92

Pwy ddaw yn Archdderwydd eleni?
Fe hoffwn weld hogen ddel, secsi.
   Os ceir un go lew,
    Ddim rhy dal, ddim rhy dew,
Fe ddown innau i wisgo amdani.

Anad.

93

Roedd bachgen o ardal Ffair-rhos
Yn caru â geneth fach dlos.
   Maent nawr yng Nghil-graig
    Yn ŵr ac yn wraig
Yn cysgu'n 'run gwely bob nos.

Jack Oliver

94

Roedd dyn bach yn byw'n Singapôr
Yn diddanu y fenyw *next door*,
   Nid wy'n siŵr ynteu caru
    Ynteu adrodd a chanu,
Ond fe'i clywais hi'n gweiddi 'Encôr!'

Jon Meirion Jones

95

Roedd gwraig fach yn byw ym Mhontcanna
 thalent go lew ar fiola,
  Yn dda 'da'r *French Horn*
  A hefyd drombôn,
Ond diawch – ro'dd hi'n well ar y So-ffa.

Arwel Jones

96

Roedd gwraig fach yn byw ym Mhontcanna
A'i gŵr oedd yn byw yn y Blaena.
  Fe fydden' yn c'farfod
  Bob blwyddyn am ddiwrnod
Yn Lledrod, ac wedyn mynd adra.

Anad.

97

'Rwy'n feichiog!' medd Kate, 'mae'n galamiti!'
Atebais hi'n syth, 'Yr wyf am i ti
  Beidio â gofidio
  A cheisio ymlacio,
Rwy'n addo y prynaf i bram i ti.'

Dai Rees Davies

98

Rhyfeddod yn wir yw'r olygfa
A welir o gopa yr Wyddfa,
  Ond pe gwelech chi
  Yr olygfa ges i
Wrth ddringo tu ôl i Samantha.

Edgar Parry Williams

99

Rhyw bwtyn tew byr ydyw Deio,
A phwten fach fer yw 'i wraig o.
   Fe anwyd i'r ddau
   Efeilliaid ddydd Iau –
Rhai tenau fel stîls ambarelo.

Eifion Jones, Llangwm

100

Rhyw fore daeth gwraig y drws nesa
I wi-wi yng nghanol fy mloda;
   Es at y polîs,
   Ca'dd ei gwahardd am fis –
Daw hynny i ben wythnos nesa.

Anad.

101

Rhyw noson gerllaw Pontneddfechan
Aeth Wili yn ewn braidd ar Brechan,
   Ei gwasgu a'i llyfu
   (Gwell peidio manylu)
Nes bod Brechan, 'run fechan, yn sgrechan.

Anad.

102

Un hynod yw Ifan am frolio
Ei allu i daclo a phenio,
   Er gwaetha'r addoli
   A'r dorf yn ei foli
Efo'r goli mae'i wraig o yn sgorio.

Anad.

103

Un noson dywedais wrth Gwenno,
"Na neis oedd tro cynta – ti'n cofio?'
    Atebodd yn swta,
    'Ti'n cofio'r tro d'wetha?
Bydd dawel ac yfa dy goco.'

Eirwyn Williams

104

Un noson mi es i drws nesa
Er bod cyrddau mawr draw ym Mhisgah;
    Rhyw foi o sir Fôn,
    Un da, 'nôl y sôn,
Ond pwy all gystadlu â Lisa?

Emyr Phillips

105

'Wel Sionyn, mae'r dreth yn fy llethu,
Cael y ddau ben ynghyd sy'n fy nrysu,
    Faint mwy yw fy ngwobor
    O gael Tori'n lle Lebor?'
'Dim mymryn – brawd mogu yw tagu.'

Anad.

106

Yn byw yn Ffostrasol mae hipi
Gyda'i wraig sydd o dras Pacistani,
    A dwy arall o bant;
    Pe gwelech y plant –
Rhai brown a rhai gwyn a rhai caci.

Emyr Davies

107

Yn fy ngwely un nos 'da'r *Goleuad*
Daeth llais tangnefeddus fy nghariad,
   'Rho hwnna i lawr
    A dere 'ma nawr!'
A chyn toriad gwawr ces ddiwygiad.

Lyn Davies

Creaduriaid

108

A glywsoch am Williams y Fet
Fu'n dringo mynyddoedd Tibet?
   Mae nawr yng Nglangwili
   A'i goesau i fyny
Ar ôl baglu dros gath Anti Bet.

Megan Evans

109

Aeth ffarmwr o ardal Mynytho
I olwg dwy fuwch o Gaeathro,
   Ond phrynodd o 'run –
   Dychwelodd i Lŷn
Rhag ofn iddo'i hun gael ei odro.

Dic Goodman

110

Aeth parot a brynais am goron
I'r ysgol yn un o'r disgyblion,
   Ac wedi mynd trwy
   Arholiad neu ddwy
Aeth ar Gyngor Plwy Aberdaron.

Gwilym Hughes

Aeth pregethwr o ardal y gogle'
I gaca mewn cae yng Ngwernogle,
    Ond daeth tarw mawr cas
    A dyna hi'n ras –
Doedd dim byd ar ôl ond yr ogle.

Anad.

112

Aeth 'rhen Wiliam i Lydaw i steddfod,
Gwirionodd ar goesau llyffantod.
    Mae'n crawcio'n ddi-baid
    Ac er bod o'n daid,
Fe rydd ambell naid ddiarwybod.

Arfon Huws

113

Aeth trip ysgol Sul i Bwllheli,
Ac ar gefen mul aeth Eleri;
    Mae Eleri'n ferch fawr,
    Ac ar y prom nawr
Mae carreg er cof am y donci.

Anad.

114

Ar ddeiet mewn panic aeth Mari,
A hadau o bob math oedd ganddi.
    Heb uwd a heb gawl
    Collodd bwysi – do sawl,
Ond mae golwg y diawl ar y byji.

Anad.

115

Ar ganol y draffordd roedd lorri
Yn deilchion a'i chefn wedi torri.
   Daeth y glas i fusnesu
   Ac ar ôl ei hasesu
Mi welwyd mai draenog aeth drosti.

Anad.

116

Ar gopa y Garn mae 'na Ieti
Sy'n dwyn tuniau bêcd bîns a sbageti,
   A 'diom yn stopio yn fan'na –
   Pan es yno mis dwytha
Mi ddwynodd y bastad fy het i.

Dewi Prysor

117

Bu gynt gennyf gyfaill o ddraenog
O natur fach hynaws, amhigog,
   Ond i'm gwddw daeth lwmp
   Cans fe'i gwasgwyd yn stwmp
Yn rhywle rhwng Plwmp a Llangrannog.

Anad.

118

Bu llawer o sôn yn ddiweddar
Am ddyn oedd yn hynod ddyfeisgar.
   Fe groesodd ei darw
   Â cheiliog bron marw –
Mae'n salw ond mae'n codi yn gynnar.

Eifion Williams

119

Bu'n rhaid i fy ngwraig roddi pil i fi
'Rôl y sioc wedi i'r fet anfon bil i fi.
    Roedd yn gofyn can punt
    Am ddod ar ei hynt
I sbaddu'r bwch gafar, sef bili fi.

Dai Rees Davies

120

Bu Noa mewn coblyn o drwbwl
Yn cadw rhyw drefn ar y cwbwl,
    Aeth y gaseg a'r asyn
    I garu yn sydyn,
A 'na pam ceir miwlyn, rwy'n meddwl.

Anad.

121

Cylymu pry genwair yn gwlwm,
Rhoi bangar i fyny tin carlwm,
    Dienyddio cyw brân
    A rhoi cathod ar dân –
Hen fastad oedd Dwalad erstalwm.

Jôs Giatgoch

122

Daeth draenog yn ôl o'r *kibbutz*
Ac ymddwyn ychydig yn nyts.
    Gyda thân dan ei fron
    Aeth i groesi'r M1
Jyst i ddangos bod ganddo fo gyts.

Caryl Parry Jones

123

'Diawch, mae coese 'da lemons ffor' hyn',
Meddai meddwyn wrth farman reit syn.
    Meddai hwnnw gan dasgu,
    'Y diawl! Ti 'di gwasgu'r
Caneri i mewn i dy *gin.*'

Lyn Ebenezer

124

Dihangodd dwy gwningen un Sulgwyn
O labordy dobaco Llanuwchllyn,
    'Rôl prynhawn ar y ddôl
    Fe ddihangon nhw 'nôl
Ar farw yn crefu am fwgyn.

Jôs Giatgoch

125

Dwyn dafad o'r mynydd wnaeth Sioni,
Am drosedd mor erch ca'dd ei grogi.
    Aeth sgweier y Bronnydd
    Â'i ddafad a'r mynydd
A gwnaed ef yn Arglwydd Preseli.

Dafydd Henry Edwards

126

Fe glywais am foi o Langrannog
A groesodd lyswennod â draenog,
    A nawr 'rôl eu blingo
    Eu sythu a'u stretsho
Mae'n eu hiwsio yn lle weiren bigog.

Emyr Davies

127

Fe welais ar ffrynt y *Gazette*
Fod mwnci gan Castro fel pet,
   Ond a glywsoch am Beti
   Sy'n cadw tŷ llety?
Mae 'na Ieti, medd rhai, yn Nhŷ Bet.

Lyn Ebenezer

128

Ger atomfa yr Wylfa un diwrnod
Cafwyd iâr heb ddim plu, sy'n beth hynod,
   Â'i thin yn goleuo
   Yn goch fel mast Nebo
A'i hwya' wedi berwi yn barod.

Dewi Prysor

129

Hen wreigan mewn perllan bur welltog
Eisteddodd heb feddwl ar ddraenog;
   Fe deimlodd i'r byw,
   Ond diolch i Dduw,
Roedd hi allan o glyw ei gweinidog.

Edgar Parry Williams

130

'*Mae un peth yn wir yn fy synnu,*'
Meddai'r llwynog fin nos wrth ei deulu.
   'Bore heddiw sha'r top
   Arhoses am stop,
A phwy welais ond R. Williams Parry.'

Anad.

131

Mae'n bechod am sbanial Cadwalad,
Fe ruthrodd dros glawdd Dolydd Calad,
　　Ei dacl godidog
　　Sydd ar weiran bigog
Yn chwifio yng ngolau y lleuad.

Jôs Giatgoch

132

'Mae'n rhyfedd gen i,' meddai Ianto,
'Fod angen cyffuriau i rasio.
　　Medrai Percy Bric-brac
　　Guro pob un wan jac
Pan oedd tarw Welsh Black wrth 'i din o.'

Anad.

133

Mae'r Saeson yn rhedeg ar ras
'Waeth Bonso sy'n brathu mor gas,
　　A 'ngwraig sy'n fy annog
　　I wneud yn ddwyieithog
Yr arwydd Cymraeg sydd tu fa's.

Dai Rees Davies

134

Mewn galar hyd heddiw mae Val
A Phero mewn ffrâm ar y wal:
　　Y cr'adur yn gelain
　　'Rôl myned, trwy ddamwain,
I'r minser yn lladd-dy El Al.

Jôs Giatgoch

135

'Mewn ocsiwn am barot,' medd Medwyn,
'Telais deirgwaith yn fwy na'r pris gofyn.
   Sylweddolais yn syn
   Y rheswm am hyn –
Roedd y coblyn yn bidio'n fy erbyn.'

Gareth Lloyd Williams

136

Mewn tent ar Mownt Efrest roedd Guto
Un noson ystormus yn swatio,
   Daeth Ieti mawr gwyn
   A dweud wrtho'n syn,
'Rhyw dai ha' fel hyn sy'n fy ngwylltio.'

Edgar Parry Williams

137

Mi es i i'r sw ger Caeredin,
Mi gwrddais â mwncïod cyffredin,
   'Nabyddon nhw fi
   Wrth drwyn fy nhad-cu
Ac es i ddim yno byth wedyn.

Hywel Mudd

138

Mi roddodd gwraig fferm o Ffestiniog
Lond dwrn o Viagra i'r ceiliog.
   Fe wnaeth lot o les
   I godi ei wres –
Rhoddodd gythral o tshiês ddoe i lwynog.

Edgar Parry Williams

139

O gwmpas fel mellten aeth Pero
Gan basio'r holl gŵn am yr eildro,
  Ond yn ei wythienna
  Roedd mwy o gyffuria
Nag oedd yn fferyllfa Caeathro.

Jôs Giatgoch

140

Petai stabal Bethlem yn Lerpwl
Mi fyddai y Doethion mewn trwbwl
  Am na fyddai'r un camel
  Wrth gerdded drw'r twnnel
Yn gweled y seren o gwbwl.

Anad.

141

'Petawn i,' medd Ifan, 'yn gwybod
Bod letys yn dda i gamelod,
  I'r Aifft awn mewn bad
  A'u gwerthu yn rhad
Yn ymyl y Sphinx – lle mae cysgod.'

Anad.

142

Roedd crwt o Nant Ffrancon yn hynod
O fedrus am hela cwningod,
  Fe aeth gyda Jo
  I glwb yn So-ho,
Fe'i daliwyd efô gan un ddeudro'd.

Dilwyn Pritchard

143

Roedd gwraig fach yn byw yn y Bermo
A deithiai i'r dref ar gefn hipo.
   Fe fyddai'n ei drin
   Â'i throed a'i phen-glin
A gwasgai ei din er mwyn stopo.

Anad.

144

Roedd llwynog mawr enwog ym Mallwyd,
Fe geisiwyd ei ddal, ond ni allwyd;
   Bu fyw yn gant oed
   Yn chwim ar ei droed,
A'i gynffon yn hir, ond yn drallwyd.

R. T. Jenkins

145

Roedd Mari yn enwog drwy'r plwy
Am ollwng rhyw un fach neu ddwy,
   Ond dwblodd ei strach
   Pan brynodd gi bach –
Roedd hwnnw yn llawnach o nwy.

Arwel Jones

146

Roedd pry genwair un tro wedi rhwymo
Nes ei fod o cyn stiffed â beiro,
   Wrth geisio gwneud dot
   Gwnaeth andros o flot,
A rŵan mae'n lot gwell nag oedd o.

Hedd Bleddyn

147

Roedd tarw yn rhedeg mor fuan
O amgylch tas wair yn yr ydlan,
   Yn amlwg o'i go'
   Âi'n gyflymach bob tro
Nes domi ar 'i dalcen ei hunan.

Dai Rees Davies

148

Rhoed hawl i ryw ddyn o Fethesda
I fagu draenogod i'w bwyta;
   Ond chware teg nawr,
   Gall greu problem fawr
I'r ffatri gwneud condoms drws nesa.

Huw Erith

149

Rhyw borthmon a wylai yn groch
Gan lefain, 'Pa le mae fy moch?'
   'Rôl cerdded y byd
   Ar draws ac ar hyd
Fe'u cafodd – ar draeth Aber-soch.

R. T. Jenkins

150

Rhyw ferch ddaeth i'r Steddfod o Nefyn,
Ond i'w blows fe hedfanodd gwybedyn.
   Aeth lawr yn ddiogel
   Rhwng ei dwyfron tua'i bogel,
Ond sai'n gwybod i ble aeth e wedyn.

Anad.

151

'Tai Melangell yn gwisgo sgert fini
A minnau yn sgwarnog fach heini,
   Mi fyddwn yn cuddio
   Am 'mod i'n enjoio
Ac nid am fod cŵn ar fy ôl i.

Hedd Bleddyn

152

Un noson ces syniad gwefreiddiol
I chwyldroi y diwydiant dilladol,
   Croesi buwch caribŵ
   Gyda hwch cangarŵ
Rydd ffyr côt â phocedi sylweddol.

Gwynfi Jenkins

153

Un rhyfedd yw Joni Brynhafod,
Mae'n cadw moch bach a llwynogod.
   Eu bwydo y mae
   Bob bore dydd Iau –
Pam bore dydd Iau dwi'm yn gwybod.

Tegwyn Jones

154

'Un tocyn un ffordd i Lwynhendy,'
Medd menyw â phwdl a babi.
   'Wheigen i chi,
   Dim byd am y ci,
A twenti-ffeif pi am y mwnci.'

Eifion Daniels

155

Wrth ddychwel o'r Bwl yn Llangefni
Fe welais i fenyw fawr lysti
   Yn gafael mewn llew
   A'i flingo o'i flew –
Doedd y llew ddim mor dew wedi hynny.

Anad.

156

Wrth edrych drw'r ffenest un noson
Beth welais – yng nghanol y moron –
   Ond cwrcyn tŷ nesa
   Yn prysur ddifetha
Cymeriad cath bach gwraig y person.

Arfon Huws

157

Wrth gerdded i ginio Hen Galan
Bendithiwyd bardd Oernant gan wylan,
   A mynte y bachgen
   Wrth sychu ei dalcen,
"Na lwc na all gwartheg ddim hedfan."

Eddie Morgan

158

Y pnawn 'ma wrth gaca'n y stryd
Fe laddwyd 'rhen Bero Tŷ-clyd,
   O, pam yn y bore
   Na wnaeth y job gartre?
Boed hynny yn wers i ni 'gyd.

Tegwyn Jones

159

Yn ffeinal Ras Falwod Cwm Aled
Enillodd yr un efo'r helmed.
    Fe saethodd i ffwrdd
    I ben draw y bwrdd
Lle 'steddai Wil Hwrdd efo'i fagned.

Jôs Giatgoch

160

Ystyriwch mor fach yw llyffantod,
Ystyriwch mor fawr eliffantod,
    Pe âi llyffant gwrywaidd
    At eliffant benywaidd
Yn wir fe gaent amryw o blant – od.

O. M. Lloyd

Defosiynol

161

Aeth Twm ar ei wyliau i Enlli
Ac yno ymhlith y beddfeini
   Llafarganodd, 'Braint, Braint,
   Cael cymdeithas 'da'r saint,'
O emyn John Roberts, Caergybi.

                                               Anad.

162

Am hyn rwy'n dymuno'n wastadol –
Fy nghladdu heb neb yn fy nghanmol,
   Dim gwadd i neb crand,
   Ac arch *second hand*,
A blodau o'r cynhebrwng blaenorol.

                                               Anad.

163

Ar ganol y bregeth yn Seilo
Dechreuodd rhyw fabi bach udo.
   Mi stopiwyd yr oedfa,
   Ac ar y ffordd adra
Roedd pob un yn diolch i'w fam o.

                                       Rhys Llwyd

164

Bedyddwyr ydw i a Morwenna
Sy'n selog yng nghapel Moreia.
  Dwi ddim, rhaid 'mi ddweud,
  Isio dim byd i' wneud
Efo'r tacla 'na yng nghapel Bethania.

Jôs Giatgoch

165

Dychwelodd fy mrawd 'nôl i'r winllan,
A dadi groesawodd y pagan,
  Tywalltodd y gwin,
  Ac er 'mod i'n flin
Roedd o'r llo pasgedig yn benwan.

Anad.

166

Fe ddywed y Gair i'r Bod Mawr
Gyfri gwallt holl drigolion y llawr,
  Ond os ydych chwi
  Yn foel fel myfi,
Mae e wrth ei *subtractions* yn awr.

Anad.

167

Fe gollodd gweinidog Bryn Seion
Gryn bwysau wrth loncian yn gyson,
  Ond meddai'i wraig Sal,
  'Rhyngoch chi, fi a'r wal,
Mae'i bregethe fe'n dal yn drwm ddigon.'

Tegwyn Jones

168

Fel bwled daeth blaenor o'r seler
Deng eiliad cyn ffrwydrodd y boeler.
   Wrth weld capel Seion
   Yn ddim ond adfeilion,
Meddai'r Cristion, 'Dy ewyllys a wneler.'

Anad.

169

Ganrifoedd cyn adeg *Welsh Not,*
Reit 'nôl bron nes cyrraedd *year dot,*
   Roedd menyw'n dyfalu
   Sawl gŵr a fu ganddi
Oherwydd bu'n briod â Lot.

Dai Rees Davies

170

Gweinidog Siloam ger Cribyn
Sydd nawr mewn ysbyty ers tipyn,
   Y rheswm mae yno?
   Ei gefn sy'n ei flino –
Fe straeniodd wrth godi ei destun.

D. T. Lewis

171

'Gweinidog wyf i,' meddai Parri,
'A thyrchwr wyf innau,' medd Wili.
   ''Run gwaith, fel petai,
   Sydd gennym ni'n dau –
Dwyn eraill o'r nos i'r goleuni.'

Glyn o Faldwyn

172

Hen gythraul o ddyn ydoedd Saul,
Doedd neb yn ei leicio ytôl,
    Ond gwelodd oleuni
    Mor gryf nes ei ddallu,
A rŵan ei enw yw Paul.

Anad.

173

I Dduw, golff fu'r gêm o'r dechreuad,
Bu'n waldio hyd gyrion y Cread,
    Ond yn hwyr ar nos Lun
    Fe sleisiodd o un,
A dyna sut greodd o'r lleuad.

Tom Price

174

I'r chwith yn lle'r dde trodd y cennad
A cholli ei ffordd i'w gyhoeddiad,
    Ond hyn sydd yn smala,
    Rŷm ni yn Moreia
Yn edrych at hwn am arweiniad.

John Morris Jones

175

Meddai diacon hen o fro'r Gurnos,
'Fy ffydd sy'n gwanhau beunydd, beunos;
    A bellach, mae'n drist,
    Ni ddarllenaf *Y Tyst*,
Ond caf fendith mewn *Dandys* a *Beanos*.'

Tegwyn Jones

176

Meddai gŵr wrth ei wraig un ben bore,
'Wel wir, Hannah Jên, ein llinynne
   Ddisgynasant o'r ne'
   Mewn rhyw hyfryd o le,
Ys dywedir yn Llyfyr y Salme.'

Anad.

177

Mewn angladd ar lan afon Cledde
Aeth ficer ar goll rhwng y bedde,
   'Rôl crwydro am hydoedd
   Rhwng daear a nefoedd
Doedd ganddo ddim syniad ble wedd e.

Idris Reynolds

178

'Mi wn,' meddai Satan, ''rôl dethol
Eneidiau i'r tân mawr tragwyddol
   Am oesoedd di-ri
   Does neb, coeliwch fi,
Yn llosgi yn well na'r sych-dduwiol.'

Edgar Parry Williams

179

Mr Lot oedd y cyntaf i wneud creision
Trwy'u crasu nhw'n denau mewn toddion,
   Ca'dd wared â'i briod
   Mewn ffordd ddigon hynod
I lenwi'r pacedi bach gleision.

Hedd Bleddyn

180

Oferwr o Landdaniel-fab
A aethai i weled y Pab,
   A dweud wrtho'n blaen
   Fod ei waith yn gryn straen
Ac y dylai gael cymorth ei fab.

K. M. Lintern

181

Organydd o'r enw Sam Morgan
A aethai am dro i Fodorgan,
   Ond dyna hen dro!
   Yr eglwys dan glo
A rhywbeth yn bod ar yr organ.

K. M. Lintern

182

Pe bawn i yn aelod o gwango
Fe hedwn i gopa Bryn Nebo
   I weled o bell
   Ardaloedd sydd well,
Ac yna dod adre i ginio.

Anad.

183

Ro'dd ffarmwr o ardal Nanhoron
Yn gofyn, ar farw, i'r person
   Oedd modd cael ffurflenni
   Am grant bach eleni
I'w helpu i groesi'r hen afon.

Edgar Parry Williams

184

Roedd gan Noa'n ei arch ffansi ledi
Yn cuddio 'nghompartment y mwnci,
    Wrth i Noa fynd draw
    Tua chwarter i naw
Fe stopiodd y glaw – dyna biti.

Hedd Bleddyn

185

Roedd Noa yn berchen ar iot,
Gwahoddodd i swper 'rhen Lot,
    Wrth estyn am halen
    I'w roi ar letysen
Canfyddodd ei wraig yn y pot.

Anad.

186

'Rôl dianc o'r ffwrn, Abednego
Aeth yn niwsans – fe chwyddodd ei ego,
    Am ei daflu i'r tân
    Âi ymla'n ac ymla'n
A jobyn ar dia'n oedd cau'i geg o.

Megan Evans

187

Rhyw foi bach reit fyr o ran seis
A'i enw yn Mr Sacheus;
    'Dere lawr', meddai'r Iesu
    Wrth iddo ddynesu,
'OK', medde fe mewn sypréis.

Anad.

188

Un hynod yw Ifan am frolio
Ei fod e yn gamster am nofio,
   Ond boddi wna ynte
   Yn hen afon ange;
Ni all e fyth ddianc rhag honno.

Anad.

189

Wel wir y mae'n achos i synnu
Fod cymaint daioni obeutu,
   Oherwydd, wir Dduw,
   Fy mhrofiad i yw
Fod mwy o ddifyrrwch mewn pechu.

Anad.

190

Wrth rodio nid nepell o'r Bala
Fe gwrddais â'r Proffwyd Eseia;
   Gofynnais, 'Beth ddaw?'
   Atebodd, 'Peth glaw,
A hwnnw efallai'n troi'n eira.'

Tegwyn Jones

191

Yr un ydyw gwendid dynolieth
Ag un Adda ac Efa, ysyweth.
   Cynhyrfu'n rhy glou
   Gyda menyw – ond boi!
Doedd ganddo fe 'run fam-yng-nghyfreth.

Anad.

Bwyd a Diod

192

Am ddiod o ddŵr afon Dyfi
Mae dringwyr Eryri'n gwirioni.
    Rwyf innau'n hapusach
    Ar ddŵr afon Dwyfach –
Llond llwy fach mewn glasied o wisgi.

Edgar Parry Williams

193

Ar ôl iddo orffen ei swper
Daeth arno chwant glasied o licer,
    Ond druan ag e,
    Wrth ddod tua thre
Aeth whiw dros y clawdd – fe a'i sgwter.

Jack Oliver

194

Drwy'r eira daeth Twm o Dregaron
Yn llawn at ei styden un noson
    Gan chwiban yn iach,
    Ond ar bwys 'Refel-fach
Fe stopiodd fel watsh hanner coron.

Ben Davies

195

Fe gollais fy ffordd un nos Wener
'Rôl yfed chwe pheint a dau ddwbler,
    Dydd Sadwrn yn sobri
    Ar goffi'n y stydi,
Dydd Sul es i'r cwrdd – fi yw'r ficer.

Eifion Daniels

196

Mae Dafydd yn chwil wrth yr olwyn,
Fe yfodd o leiaf ddau alwyn.
    Mae o'n cysgu yn sownd
    Ac yn mynd rownd a rownd,
Ddo'i adra 'fo chi, Tomos Alwyn.

Jôs Giatgoch

197

Mae merch fach o Fforest y Ddena
Yn yfed dim byd ond te sena
    A the wermod lwyd,
    (Dyw hi'n bwyta dim bwyd) –
'Sdim rhyfedd ei bod hi mor dena.'

Anad.

198

Meddai Tomos ar draeth Lanzarote,
'Ma'r cwrw 'ma'n dda, oti, oti,'
    Ac meddai ei wraig e,
    'Efalle 'i fod e
Ond 'di e'n gneud fawr o les i dy bot di.'

Anad.

199

Mewn bwyty, paid meddwl am fratu
Y bwyd sydd ar ôl ar dy blât di;
   Rho'r cyfan mewn cwdyn,
   Boed datws neu bwdin,
Ac yna – wel cer ag e 'da ti.

Anad.

200

Mi glywais ryw sŵn annaearol
Pan landiodd yr haul yn Ffostrasol,
   Aeth y lleuad i grynu
   Fel twlpyn o jeli –
Peth od ydi meddwi'n ormodol.

Reggie Smart

201

Pan aeth Wili ar wylia 'fo Wali
A hwylio o'r Bala i Bali,
   Bob dydd yr oedd Wili
   Yn halio'r hen Wali
O'i wely am fod Wali 'di dal hi.

Caryl Parry Jones

202

Roedd bachgen o ardal Llwyn-rhys
Nad oedd yn orhoff o gawl pys,
   Er pwyso'n drwm arno
   Ni chymrai mohono
Ond unwaith neu ddwy yn y mis.

Anad.

203

Roedd Gwyddel o'r enw O'Malley
Yn trafod pêl-droed efo Wali.
   Aeth pethau'n go groch
   Yn nhafarn Bryn-coch –
O'Malley a Wali 'di dal hi.

Moi Parri

204

'Rôl yfed llond bwced o gwrw,
Meddai gwraig fach o blwy Eglwyswrw,
   'Rhaid 'mod i o 'ngho,
   Wna'i mo hynna byth 'to –
Ac eto, dwi ddim yn rhyw siŵr-w.'

Megan Evans

205

Rwy'n falch nad wy'n byw yng Nghwmderi,
Na Phlwmp na Chaerdydd na Chasnewy'
   Na chwaith Aber-porth,
   Na lan yn y north –
Mae'r cwrw yn well yn Llanelli.

Anad.

206

Rhyw brifardd dan rywfaint o straen
Orweddai yn swrth ar y Maen,
   Ac nid defod Orseddol
   Oedd hon, na chân actol,
Roedd e'n gaib. Fe ddigwyddodd o'r blaen.

Tegwyn Jones (efel.)

207

Rhyw fachan a'i geg e mor sych
A yfai'n ddiddiwedd fel ych,
   Ac fel tancwr diragfarn
   Fe sychai pob tafarn
O Lacharn reit lan i Gwm-cuch.

Lyn Ebenezer

208

Tywalltodd *Big Chief* Honolwlw
I fwced dri galwn o gwrw,
   Pum potel o sieri,
   Un *rum* a dwy frandi,
A diod i'r babi oedd hwnnw.

Edgar Parry Williams

209

Un noson wrth fwyta fy swper
Danfonais y wraig lawr i'r seler
   Am botel o win –
   Roedd hynny nos Lun,
Mae nawr bron â bod yn nos Wener.

Arwel Jones

210

Wedi sesiwn ar y cwrw yng Nghlynnog
Doedd 'na fawr iawn o raen ar fy stumog,
   Mi lyncais reit handi
   Bump neu chwech port a brandi
A marw yn teimlo'n ardderchog.

Huw Erith

Wrth ddychwel o'r Bwl yn Llangefni
Fe glywais rhyw lais bach yn gweiddi,
  'Yn syth o dy fla'n
  Mae pyrth uffern dân,'
Mi fûm ar y wagen ers hynny.

Anad.

Anhwylderau

212

Aeth y gwynt yn ei stumog yn drech
Na rhyw druan o ardal Ffrwd-grech,
   Ond da yw cael adrodd –
   Ei gyflwr a wellodd
Pan symudodd i fyw i Dre-lech.

Tegwyn Jones

213

Am fod annwyd ar *chef* y 'Glendower'
A'i drwyn e yn rhedeg drwy'r amser,
   Fe sylwodd un person
   Oedd gwsmer reit gyson
Fod y swp yn deneuach nag arfer.

Dai Rees Davies

214

'Am fod eisin yn brin,' meddai Anna,
'Defnyddiaf flawd gwyn Polyfilla.'
   Roedd blas bendigedig
   Ar y gacen Nadolig,
Ond buom yn rhwym bron tan Glama.

Dilwyn Jones

215

A'r nyrs ar ei sgwyddau yn pwyso
Roedd Gwil ar y gwely yn gwingo,
   Yn nofio mewn chwys
   Yn llewys ei grys
A'r doctor â'i fys fyny'i din o.

Jôs Giatgoch

216

Dy ddeiat yw achos dy strach,
Mae'n rhaid iti fwyta yn iach.
   Yn lle macarŵns
   Cym duniad o brŵns
A phaid mynd yn bell o'r tŷ bach.

Jôs Giatgoch

217

Erstalwm argyfwng a welwyd,
Lledaenu drwy'r deyrnas wnâi'r Clefyd.
   Y rheswm am hyn
   Oedd Cadwaladr Wyn
Oedd yn dobio pob dim oedd yn symud.

Jôs Giatgoch

218

Gŵr crintach o ochr Brycheiniog
Un dydd aeth ar daith i Ffestiniog,
   Ond yno 'rhen gybydd
   Ga'dd alwad ddirybudd,
A chostiodd ei gystudd un geiniog.

R. Goodman Jones

219

Helbulus oedd Siân am ei bola,
'Mae'n rhaid,' meddai hi, 'golli pwysa.'
   Heb gofio ytôl
    Am y parti gwyllt, ffôl
Lai na naw mis yn ôl ym Majorca.

Anad.

220

Mae gwylio llifogydd diderfyn
A gwrando pistylloedd yn disgyn,
   Ysywaeth yn siŵr
    O yrru hen ŵr
Ar drot i wneud dŵr yn reit sydyn.

Edgar Parry Williams

221

Mae llawer o bethau'n fy mhoeni,
Mae'n anodd ofnadwy eu henwi
   Maent mewn llefydd personol
    A dwn i'm yn hollol
Be 'di'r enwau Cymraeg ar y rheini.

Anad.

222

Mae Wili, mab Jim Abednego,
Yn dioddef o dan y lymbego,
   Ond er bod ei gefn
    Yn hynod ddi-drefn
Does dim byd o'i le ar ei geg o.

R. J. Rowlands

223

Medd dynes yng nghapel Trefilan
Pan ofynnwyd beth oedd yn ei boddran,
   'Gorfwyta'r prynhawn,
   Rwy'n teimlo yn llawn,
Byddai'n iawn pan ddechreuith yr organ.'

Anad.

224

'Rhen wraig Meri Ann gaiff ei blino
Gan y peils – ac O'r cosi sydd yno!
   'Fe hoffwn,' medd hi,
   'Grafu'r fan, welwch chi,
Ond sut gallaf a 'mys wedi brifo?'

Tegwyn Jones

225

Roedd brawd bach go dost yn Llanelli
Ar bwys lle mae'r glo yn dunelli.
   Aeth at ddoctor rhyw dro,
   Dyma hwnnw o'i go,
'Os ffeindi di wraig fach, fe welli.'

J. M. Edwards

226

Roedd nodau a chord y ffalseto
Trwy annwyd yn drech na Caruso,
   Ond roedd gan Madam Patti
   Bot o Vick yn ei bag hi
Ac fe'i rhwbiodd o i gyd ar ei frest o.

Hedd Bleddyn

227

Rwyf o hyd yn gweled rhyw ddotia
O flaen fy nau lygad bob bora,
    'A welaist ti'r meddyg?'
    Medd nacw yn sarrug,
'Wel naddo, dim byd ond y smotia.'

Jôs Giatgoch

228

Rhaid cofio'r dyn tew o New York
Fu'n llowcio cig twrci a phorc.
    Bu farw y dyn,
    'Fe laddodd ei hun,'
Medd rhywun, 'â'i gyllell a'i fforc.'

Edgar Parry Williams

229

Rhyw druan o fro Alltyblaca
Gâi drafferth bob amser wrth gaca,
    Ond wir cafwyd moddion –
    (Ni wn y manylion
Ond golygai wneud iws o goes rhaca).

Tegwyn Jones

230

Rhyw fore daeth gwraig y drws nesa
I ofyn am fenthyg y ferfa
    Gan ddweud bod ei phriod
    Ers dau neu dri diwrnod
Yn diodde gan glwy diarrhoea.

Anad.

231

Wedi wythnos o fwyd o gefn lorri
Mae fy system dreuliadol 'di torri,
   Dyw hi jest ddim yn iach
   Peidio mynd i'r tŷ bach,
Mi af os caf gyfle yfory.

Catrin Rogers

232

Wrth rodio gerllaw Clegyr Boya*
Roedd hi'n oer, a chas Tomos niwmonia.
   'Rôl tipyn o strach
   Ma fe'n well tamed bach,
Ond diawch – ma' fe'n dene fel rhaca.

Anad.

**Bryncyn gerllaw Tyddewi.*

233

Yn iach y dôi Ifan – mae'n rhyfedd –
O golic a pheils a bolrwymedd.
   Goroesai efe
   Bob rhyw haint ddôi i'r dre,
Ond aeth rhywbeth ag e yn y diwedd.

Anad.

Y Meuryn a'r Talwrn

234

Aeth beirdd Tan-y-groes a Ffostrasol
Fel uned i ornest dalyrnol,
    Ac wedi peth dadlau
    Fe unwyd eu henwau
A'u galw yn dîm Tanyrasol.

Arwel Jones

235

'Barf gafr' – dyna ddeuair aflawen
A diysbrydoliaeth i'r awen,
    Heb unpeth i'm goglais,
    Na moli na malais ...
Ond cofiais am Gerallt Lloyd Owen.

Gwen Roberts

236

Bob nos mae holl gathod y lle 'ma
Yn cynnal eu talwrn am oria'
    Yng nghanol y stryd
    A wir, dwi â 'mryd
Ar sbaddu'r un goch sy'n meuryna.

Anad.

237

Bu Talwrn Sw Caer ddechrau'r flwyddyn
Rhwng teigrod a llewod mawr melyn,
   Gorila'n cyflwyno
   A pharot yn marcio
A draenog bach pigog yn feuryn.

Hedd Bleddyn

238

Ces ddamwain yn ymyl Llanallgo
Wrth wrando y Talwrn ar radio,
   Nid troad Bryn-teg
   Oedd y lle i roi deg
Na'r adeg i gymeradwyo.

Arwyn Roberts

239

Daeth dagrau i lygaid y meuryn
Wrth fynd ar y trên trwy Brestatyn.
   'Mae'n drist,' meddai e,
   'Rhoi llonydd i le
Fel hwnne, a boddi Tryweryn.'

Edgar Parry Williams

240

Er nad yw Ned Ifan yn sgolar,
Pan safodd arholiad bach llafar
   I weld wnâi e feuryn
   Mi basiodd, ond wedyn
Fe'i saethwyd gan gochyn bach clyfar.

Eirwyn Williams

241

Fe fwytais fy ewinedd i'r bywyn
A thynnu fy ngwallt ma's bob blewyn
   A llyfu pen-ôl
   Hen gochyn bach ffôl
A chael byger ôl am fy englyn.

Arwel Jones

242

Gofynnwyd am arian o Benllyn
I godi cofgolofn i feuryn;
   'Dwi'n cofio fo'n marcio,'
   Medd Wil Coedybedo,
'Gohirio fydd orau am flwyddyn.'

Lloyd Evans

243

Mae dringo mewn Talwrn yn gofyn
Am ras ac amynedd diderfyn.
   Rhaid i'r tîm fagu plwc
   A chael llawer o lwc
Hefo'r crwc 'ma sydd gennym yn feuryn.

Edgar Parry Williams

244

Ni lwyddais, er pob rhyw berswadio,
I ddysgu lluosi ac adio,
   A dyma paham
   Rwy'n gwneud y fath gam
Wrth farcio gwaith beirdd ar y radio.

R. M. Williams

245

Os collwn ni'r Talwrn 'ma heno,
Tîm Manion* sy'n barod i fentro
Cidnapio y meuryn
A'i adael yn borcyn
Am flwyddyn ar ben polyn Nebo.

Edgar Parry Williams

*Manion o'r Mynydd

246

Pnawn ddoe ar y sgwâr ym Mhrestatyn
Mi welais i ferch hanner porcyn.
Pan ofynnais i pam,
Atebodd hi, 'Sgram!
Rwy'n aros fan hyn am y meuryn.'

Anad.

247

Pnawn ddoe ar y sgwâr ym Mhrestatyn
Yn saethu c'lomennod roedd meuryn.
Fe'i rhowd gan "rhen Bil'
Yn gwmni i Wil
Yng nghell nymbar thri, Carchar Rhuthun.

Anad.

248

Pnawn ddoe ar y sgwâr ym Mhrestatyn
Yr oedd *fancy dress* ar fin cychwyn,
Roedd pawb yn reit cîn
I weld barnwr bach blin,
Felly mynd fel fo'i hun ddaru'r meuryn.

Anad.

249

Roedd dyn bach yn byw yn Llandwrog
Wnaeth ffortiwn a mynd yn gyfoethog
    Heb wneud bygar ôl
    Ond eistedd yn ôl
A barnu beirdd ffôl yn fawreddog.

Edgar Parry Williams

250

Rhois arian bob Talwrn y radio
I gyd mewn un cyfrif cynilo.
    Ar ôl chwarter canrif
    Defnyddiais y cyfrif
I brynu dwy bensel a beiro.

Hedd Bleddyn

251

Rhyw bwt bach o'r enw Hing Hong
Yw meuryn talyrnau Hong Kong.
    Mae o'n dynn efo'r ffi
    Ond mae'i farcio fo'n ffri,
Rhydd saith – fel un ni – am beth rong.

Caroll Hughes

252

Un noson yn neuadd Cwmlline
Y dasg ydoedd sgwennu limrige.
    Mi gefais i ddeg
    Sy'n farc eitha teg,
Ond doeddwn i ddim ar fy ngore.

Bethan Jones

253

Wrth ddychwel o'r Bwl yn Llangefni
Mi gwrddais ag Edward a Soffi.
   Gofynnais fel ffrind,
    'I ble ry'ch chi'n mynd?'
'I weld y Coch Bach yn beirniadu.'

Anad.

254

Wrth fynd tua thref meddai Guto,
'Mae Gerallt – ydi wir – yn heneiddio,
   Ei flewyn yn gwynnu
   A'i lais o yn crynu,
Oes rhywun a ŵyr be 'di oed o?'

Anad.

255

Yn wir y mae'n achos i synnu
Fod gwallt yr hen Gerallt yn gwynnu,
   Gobeithio yn wir
    Y caiff o cyn hir
Rhyw Grecian Two Thousand i'w harddu.

Anad.

Tipyn o Bopeth

256

Aeth David Lloyd George, yn ôl rhai,
Ar ôl sesiwn go drom yn Versailles
    Am wâc fach jecôs
    A threulio min nos
Gyda Ffrances fach dlos. A pham lai?

Tegwyn Jones

257

Aeth paffiwr go fras Tiger Bay
I dreio ei lwc efo Clay.
    Ond druan ag o,
    Mae'i drwyn e ar dro,
Ond er y KO mae'n OK.

Tydfor

258

Agorais fy llygaid un bora
Gan gredu fy mod i yn fan'na,
    'Rôl edrych yn fa'ma
    Dechreuais i ama
Mai yma yr oeddwn, nid fan'na.

Anad.

259

Agorais fy llygaid un bora
'Rôl breuddwyd yn llawn o limriga,
    Gan fy mod ar ddihun
    Mi ystyriais bob un
Ond hwn yn ddi-os oedd y gora.

Anad.

260

Am sglyfath 'di Jac Cwm Tirmynach,
Ni welodd 'rioed sebon na chadach.
    Ei wynt fel tin dyfrgi,
    Mae'n drewi fel morgi
'Di marw'n lan môr Aberdesach.

Jôs Giatgoch

261

'Annibyniaeth orfodol i Walia,
Biliynau ychwanegol i'w choffra,
    Ac i'r iaith chwarae teg,'
    Oedd neges Rhif Deg
Mewn e-bost ar Ebrill y cynta.

Dafydd Iwan

262

A'r roced yn ddim ond pum eiliad
Yn hwyr o America i'r lleuad,
    On'd ydyw'n beth syn
    Fod y bws o Ryd-wyn
Ddeng munud yn hwyr yn Llanrhuddlad?

Richard Jones

263

Ar ganol yr unawd soprano
Aeth heibio awyren Tornado;
    Ni chlywyd 'run nodyn
    O gân Eos Emlyn,
Ond ca'dd hanner y wobr am dreio.

Anad.

264

Ar ochr y ffordd yn Rhoscolyn
PC Jones ddaliodd ddau yn noethlymun.
    'Ffyrst dê on the ffors,
    Iwar nêms?' meddai Jôs,
'Hon 'di Rôs, a finna 'di Colin.'

John Ogwen

265

Ar ôl bore 'da'r plant yn siop Toys-R-Us
A'r nawn efo'r wraig yn siop Tiles-R-Us,
    Wedi gwario'n whit-what
    'Sgen 'im ceiniog i'r bat
Sydd dan fowler hat draw yn Tax-R-Us.

Ken Griffiths

266

Bargeiniodd rhyw ddyn o Lansamlet
Am feinwen a fan mewn dîl breifet.
    Y ferch yn ddi-hid,
    Y fan yn ddi-sbîd,
A gwendid y ddwy dan y bonet.

John Emrys Williams

267

Beth ddywedai yr hen Ddaniel Owen
Pe gwelsai ferch noeth yn yr heulwen?
    Ni wn beth a ddwedai,
    Ond gwn sut y teimlai –
Yn ifanc a nwydus a llawen.

Anad.

268

Bil Clinton o ddoniau amryfal,
Arlywydd na welwyd ei hafal.
    Os i fyny bob awr
    Oedd delfrydau y cawr
Roedd ei drowser e lawr yn reit amal.

Tegwyn Jones

269

Ble bynnag yr âi, bu'n clustfeinio,
A'i ysfa angerddol oedd turio
    Am straeon go frith
    I'w gollwng i'n plith,
Ond cofiwch – mae'n chwith ar ei ôl o.

R. J. Rowlands

270

Breuddwydiais fod Phil, Dug Caeredin,
Yn Llambed yn feirniad yr englyn,
    'Barchus lywydd,' medd ef
    Yn grintachlyd ei lef,
Ond sai'n cofio be wedodd e wedyn.

Tegwyn Jones

271

Breuddwydio yr oeddwn un noson
Na chlywid 'run gŵyn gan athrawon,
    Dim gwleidydd celwyddog
    Na ffermwr anfoddog –
Breuddwydio yr oeddwn un noson.

Anad.

272

'Bu'r haf yn un sych,' meddai Guto,
A phe byddai'n wlyb byddai'n cwyno.
    Wna eira a rhew,
    Niwl trwchus o dew
Na thywydd go lew fyth ei blesio.

Eifion Jones, Llangwm

273

Byddai'n well gen i fyw yn Nhrewellwell*
Na byw mewn rhyw babell neu hellgell;
    Pe bawn i mor ffôl
    Â mynd i'r North Pôl,
Awn yn ôl i Drewellwell o bellbell.

Gomer M. Roberts

*Fferm ger Caerfarchell, sir Benfro.

274

Caed cwyn bod rhyw dwll bach mewn llecyn
Yn y wal 'gylch y gwersyll noethlymun,
    A'r Cyngor anfonodd
    Saith dyn (ac un drosodd)
I edrych i mewn iddo'n sydyn.

Ann Davies

275

Ceir troeon yng nghwt amryw bethe,
Cwt neidir, cwt barlat mor ddethe,
   Y mochyn obsîn
   A'r wiwer bob un,
A chwt ambell ddyn hefyd weithie.

Tydfor

276

Ces i'r syniad o lunio odliadur,
Ac eto o lunio cleciadur,
   Ond sylwi a wnes
   Y gwnâi mwy o les
Im anelu at greu limrigiadur.

Carys Hall Evans

277

Corff mawr a phen bach, nid twelf bôr,
Ddileodd o'r byd ddeinosor;
   Ac os dyna'r symptomau
   Mae'n flêr ar gynghorau,
A byrddau a chwangos galôr.

Geraint Percy Jones

278

Cyfraniad gwraig fawr o Dredegar
I'r Steddfod oedd benthyg ei blwmar,
   Mae'n arbed y bwrdwn
   O logi pafiliwn
Os ydyw yn binc ac yn llachar.

Hedd Bleddyn

279

Daeth byddin yr US of A
Ar y cyd efo Heddlu y De
'Rôl cyrch pedair blynedd
I arestio yr Orsedd
A'u hel i Gwantanamo Bê.

Jôs Giatgoch

280

Daeth hipi i fyw i Dregaron,
Mae e'n drewi 'nôl bechgyn y sgwâr, Ron.
Os gwela i'r diawl slic
Fe a' i ato yn gwic
A rhoi cic iddo'n llinyn ei ar, Ron.

Lyn Ebenezer

281

Daeth Sais draw i fyw i Landeilo
A'i fwriad mae'n debyg oedd ffarmio,
Ond ni fu yn hir
Cyn gweled yn glir
Fod tir yn rhy onest i'w dwyllo.

Ben Davies

282

Darllenais ddydd Iau yn Y Cymro
Am anffawd Prins Charles mewn gêm bolo.
Un mentrus iawn yw,
Ond diolch i Dduw,
Ni chafodd y ceffyl ei frifo.

Anad.

283

Darllenais ddydd Iau yn Y Cymro
Am ddamwain a fu ar faes polo,
    Mab hynaf y Cwîn
    Yn fflat ar ei din –
Newyddion fel hyn sydd yn plesio.

Anad.

284

Dic Pos'man ddaeth efo'r llythyra,
'Am wichian ma'ch beic chi!' medd Dora.
    'A gwichian 'sa chi,
    Dora Huws, petawn i
Ar eich cefn chi ers pump o'r gloch bora.'

Jôs Giatgoch

285

Doedd pobol drws nesaf ddim gartre,
Na'r plismon, na gweddill y pentre.
    Doedd 'na ddim bw na be
    Yn strydoedd y dre –
Lle gythrel mae pawb wedi mynd 'te?

Geraint Løvgreen

286

Does neb cweit mor ddiog â Defi,
Mi asiodd i'w gyms ddannedd dodi
    Sydd yn agor a chau
    Wrth eu hun, mwy neu lai,
Cânt eu gyrru gan ddau long-leiff batri.

Arwel Jones

287

Does 'run gof, waeth heb â chyboli,
Mewn efail, er chwilio a holi.
   Mae'n teithio ar led,
   Yn Jac o bob trêd,
Gan wneuthur pob job ond pedoli.

Erfyl Fychan

288

Does wiw iti, cymer dy siarsio,
Chwenychu dim byd sydd yn eiddo
  · I'r cyfaill drws nesa,
   Boed Negro, boed Arab,
Na'i forwyn, na'i fisus na'i stwff o.

Anad.

289

Dwi 'di yfed beth gythrel o gwrw,
Dwi 'di smygu'n ddi-baid a chreu twrw,
   Dwi 'di talu am bob smôc
   Efo anferth o strôc,
A'r jôc? Does 'na 'run. Dwi 'di marw.

Nia Medi

290
Dafydd Iwan

Dwi'n ei gofio fo'n gofyn yn syn
'Paham y mae eira yn wyn?'
   I gyfeiliant tri chord
   Wrth sefyll ar ford –
Edrychwch lle mae o erbyn hyn.

Geraint Løvgreen

291

Dyfeisiwr y croesair sydd nawr
Yn cuddio ym mynwent Bryn-mawr.
   'Ymhle?' meddwn i,
   Dyma gliw bach i chi –
Mewn sgwâr tri ar draws, chwech i lawr.

Roy Davies

292

Dywedodd rhyw lanc o Garthbeibio,
'Mae'r tywydd yn siŵr wedi'i reibio,'
   Ond pan ddeuai'r glaw
   Rhoddai'i bwys ar ei raw
Ac aros i'r gawod fynd heibio.

Erfyl Fychan

293

Er bod 'na rai enfawr 'da Elsie
A rhai eithaf siapus 'da Meri,
   Merch Ifan y go'
   Yw'r ore bob tro
Am dato yn sioe Aberteifi.

Dai Rees Davies

294

Erstalwm disgwylid 'bihafio,'
O leiaf nes ceid dyweddïo,
   Ond wir, erbyn hyn
   Maen nhw'n edrych yn syn
Os priodwch chi cyn y bedyddio.

Delyth Roberts

295

Erstalwm, mi fuodd y Cyrnal
Yn cwffio'n y Somme amsar rhyfal.
    Mae wastad yn tanio
    Pob peiriant ditectio
Oherwydd ei fod yn llawn shrapnal.

Jôs Giatgoch

296

Erstalwm mi roedd f'ewyrth Osian
Yn enwog o Leipzig i Lundan.
    Brenhinoedd fu'n heidio
    Er mwyn cael ei weld o
Yn tanio'i rechfeydd efo matsian.

Jôs Giatgoch

297

Ers tro bu'n ddifyrrwch gan Iolo
I ddangos ei fogel a'i fol o,
    Ond ei arfer ers mis
    Yw mynd 'chydig yn is,
A nawr ma'r polîs ar 'i ôl o.

Anad.

298

Fe aeth 'na ryw foi o Waunfawr
Ati i dyfu mwstásh mawr, mawr, mawr.
    Ond ac yntau'n ddwy lathen
    Ac yn denau fel brwynen
Edrychai 'run fath â brwsh llawr.

Llion Derbyshire

299

Fe anwyd mewn 'sbyty'n Lahore
Efeilliaid i alto o'r Ffôr,
 Ar ôl hir whilmentan
 Fe enwodd hi'r cynta'n
'Cantata', a'r llall yn 'Encôr'.

Lyn Ebenezer

300

Fe dreies, ond wnes i ddim llwyddo,
Er hynny dwi 'rioed wedi twyllo,
 Ond os ca' i gyfle
 Cyn diwedd fy nyddie,
Efallai ga' i drei unwaith eto.

Lyn Davies

301

Fe ddaeth *gentleman farmer* bach net
O Loeger i ffermio Cwm Iet,
 Dyw e'n codi dim blode
 Na llwyni na llysie,
Ond bob bore fe godith 'i het.

Lyn Ebenezer

302

Fe ddes â Wil Huws lawr i'r de
At ei wraig sydd ym mynwent Pen-dre,
 Roedd honno'r graduras
 Yn dipyn o bladras,
Gobeithio wir Dduw fod 'na le.

Jôs Giatgoch

303

Fe gafodd lond bol o'r bwyd iacha
Nes wastio fel papur o dena,
   Fe'i gwthiwyd â pharch
   I amlen o arch
Ac yna ei phostio i'r byd nesa.

Berwyn Roberts

304

Fe glywais sŵn rhyfedd un noson
Yn dod o gyfeiriad y stesion.
   Sŵn seirens a bloeddio –
   Roedd pobol yn ffeintio,
Y trên oedd 'di cyrraedd yn brydlon.

Geraint Løvgreen

305

Fe gofir Caradog am ddewrder,
A Samson oherwydd ei gryfder,
   Ond am fynd i strach
   Wrth weld llygod bach
Y cofiwn am Begi Pencader.

Maldwyn Jones

306

Fe losgodd car Siân wrth fynd echnos
Ar ymgyrch ganfasio i Benrhos.
   Meddai Ianto, 'Myn diân,
   Rhaid dwedyd am Siân,
Mae'n ferch sydd ar dân dros yr achos.'

Anad.

307

Fe gollodd rhyw wraig o Drecastell
Ar astell y castell ei mantell,
   Ond wedyn yn sydyn
   Fe gododd gwybedyn
Y fantell i'r astell â'i asgell.

Thomas Prys Jones

308

Fe welais ryw foi'n Birkenhead
A'i enw, wir yr, ydoedd Nedw,
   Byddai'r limrig yn iawn
   A'r odlau yn llawn
Pe gelwid y lle yn Benbedw.

Moi Parri

309

'Fy mreuddwyd,' medd henwr o Langwm,
Uwch llyfr John Davies* yn wargrwm,
   'Yw cyrraedd, gobeithio,
   Cyn awr fy noswylio,
Cyn belled â Rhyfel y Degwm.'

Megan Evans

*Hanes Cymru (710 tud.)

310

Gwelais Gardi a'i wraig gyda'u plant
Yn stripio holl welydd Ty'n-nant,
   'Paratoi,' mynte fi,
   'At bapuro y'ch chi?'
'Symud tŷ,' mynte'r boi, 'ni'n mynd bant.'

Lyn Ebenezer

311

Gwn am gyfaill nid annhebyg i mi
Sy'n gynghorydd a phwysigyn o fri,
　　A'i ofn mwya'n y byd
　　A'i hunllef o hyd
Yw pobol sy'n dweud, 'Pwy 'dach chi?'

Dafydd Iwan

312

Gwna'n fawr o dy gyfle, a ffonia
Ar dy Ericsson, Samsung neu'th Nokia
　　Tra fedri di rodio,
　　Does dim poced mewn amdo
I'w chario ar dy daith Motorola.

Lyn Ebenezer

313

Heddiw y mae fy chwaer, Manon,
Yn dri deg pump oed ar ei hunion,
　　Ond mae'n dal yn ieuengach
　　Na'i brawd, ac yn gallach –
Mae o'n dri deg chwech ac yn wirion.

Dewi Prysor

314

Hen Gardi o fro Esgair-mwyn,
Wrth siopa, yr un oedd ei gŵyn:
　　'Er dyfal chwilota
　　Am y nwyddau sydd rata,'
Rwy'n talu bob amser trwy 'nhrwyn.'

Anad.

315

'Hen gnawes,' medd Wil, 'yw f'athrawes.
Wnewch chi 'i tharo hi, Dadi?' A thrawes
    I'w chartref un hwyr
    (Rhif 7, Heol Gŵyr)
A thrawes y gnawes athrawes.

Anad.

316

Hen gr'adur erstalwm yw Dei,
Cap stabal a choler a thei,
    Ac er fod o'n hoffi
    Bob dim ar y teli
Mae'n gwrthod yn lân â chael Sgei.

Jôs Giatgoch

317

Hen wraig, pan enillodd bres lotri,
Brynodd ddau gladiator mawr, lysti.
    Un i helpu ei gŵr
    Fynd i'r llofft i wneud dŵr –
Efo'r llall dwi'm yn siŵr iawn be 'nath hi.

Edgar Parry Williams

318

I fyny yn llofft yn drôr dresar
Mae trysor gwir werthfawr gan Edgar,
    Sef staes a thrôns gwlanan
    A wisgwyd gan Cynan
Y diwrnod enillodd o'r Gadar.

Jôs Giatgoch

319

I fyny'n y llofft yn y dresar
Mae trysor bach arall gan Edgar
   Sef trôns efo sgidmarc
   Oedd gan Richard Widmark
Y noson enillodd o Osgar.

Jôs Giatgoch

320

I lawr ar y maes carafana
Mi welais wraig Thomas Bethania
   Drwy'r gwlith yn mingamu
   A dim mwy amdani
Nag a welwyd am Ledi Godiva.

Anad.

321

I lawr ar y maes carafane
'Na hyfryd yw'r holl dafodieithe,
   O Went a Llanelli,
   Sir Benfro a'r Cardi,
A dwi'n credu bod Gog 'na yn rhywle.

Anad.

322

I'r Toris bob nos rwy'n llafurio,
Bob pnawn i'r Blaid Lafur rwy'n gweithio,
   Bob bore mae'n rhaid
   Rhoi help bach i'r Blaid,
Ond i'r Democratiaid rwy'n fotio.

John Eric Hughes

323

Kate Roberts, T. Llew, Harri Parri,
A Kafka, Wil Garn, Thomas Hardy –
Dwi 'di darllen y lot
Wrth smocio fy mhot,
Ond dwi eto i ddallt plot Sali Mali.

Gwenan Gruffydd

324

Mae *aliens* yn gallu gneud brechdan
Mewn dim-pwynt-dau-pump chwinciad chwannan,
A ma' nhw'n gneud panad
Mewn dim-pwynt-dau eiliad,
Dwi'm yn siŵr faint mae'n gymryd i gacan.

Dewi Prysor

325

Mae cloc pedwar wmed Machynlleth
A'i bedwar pin mawr ma's o berffeth,
Ond ni all neb sylwi
Ar y pedwar da'i gily',
Ac felly – jiw jiw – does dim gwa'nieth.

Anad.

326

Mae gennyf ddwy droli o Tesco
A gwydrau o dafarn Llangeitho,
A chyllell a llwye
O restront yn rhywle –
Hyd yma fe fethais gael piano.

Dai Rees Davies

327

Mae gwir arbenigedd i Liwdo,
Nid hap ac nid damwain mohono;
    Rhif y dis ddaw o'r cwpan
    Yw'r allwedd i'r cyfan,
A dyna paham bod rhaid twyllo.

Harri Williams

328

Mae Jaco, wrth fowlio mor gwiced,
Yn briwa sawl batiwr a wiced;
    Amlheir protestiadau
    'Nôl yr hen draddodiadau,
'Sdim bowlio mor gwiced yn griced.

Anad.

329

Mae llawer o bobol yn Stirling
Ond y mae tipyn mwy yn Darjeeling.
    Mae llai yn y Sarne
    Nag sydd yn Harare,
On'd ydi 'stadege yn boring?

Llion Derbyshire

330

Mae nwy dan y Toris yn costio,
A thrydan 'di Chernobyleiddio;
    Heb lo ond o dramor
    Mi g'nesa' i wrth farwor
A lludw eu hen faniffesto.

Meg Dafydd

331

Mae un peth yn wir yn fy synnu,
Yn fy synnu, fy synnu, fy synnu,
   Mae'n fy synnu yn fawr
   Ac rwy'n synnu yn awr
Na synnodd neb arall ar hynny.

Anad.

332

Mae unrhyw sylwebydd a graffo
Ar fap o'r hen ynys yn saff o
   Ddal sylw toc iawn
   Nad yr un ffordd yr awn
I Lannerch-y-medd a Llangaffo.

R. E. Jones

333

Mae Wiliam yn arddwr bach teidi,
A dyma ei gyngor, 'Os gwnei di
   Ond trafod yn gwmws
   Dy bridd, tail a hwmws,
Whilbereidi o bob llysiau gei di.'

Anad.

334

Mae'n bryd mynd i'r gad dros 'rhen Gymru,
I'r frwydr mae'n bryd i mi gyrchu
   I ddial y brad
   A fu ar fy ngwlad,
Mi af os caf gyfle yfory.

Anad.

335

Maen nhw yn y garafán nesa
Yn Gymry ar Wasgar o'r India;
 Ganwyd hi yn Nhai-wan
 A fo yn Japan,
Ond daw'r teulu o Sling ger Bethesda.

Anad.

336

Mae'n wastad yn gryn bara-docs
I mi beth sy'n digwydd i socs,
 Waeth faint sy'n y drâr
 Rwy'n cael un bob pâr
Ac un arall yn sbâr yn y bocs.

Dic Jones

337

Mae'r byd yma'n myned i'r cŵn
Rhwng pechod a drewdod a sŵn,
 Rhwng ffwtbol a bingo,
 A nadau criw Ringo
Gwell swingo'n y coed fel babŵn.

W. Leslie Richards

338

'Mae'r cynllun creu gwaith,' medd areithiwr
Trwy gyfrwng y radio 'ma neithiwr,
 'Yn llwyddiant gwir fawr.'
 Felly'r cwbwl yn awr
Sydd eisiau yw cynllun creu gweithiwr.

R. E. Jones

339

Mae'r ddynes drws nesa'n un ddigri,
Cans cysgu o hyd yw ei hobi,
    Er perthyn yn awr
    I Ferched y Wawr
Hen orchest go fawr yw ei chodi.

Anad.

340

'Mae'r oes wedi newid,' medd blaenor,
'A'r effaith i'w weled yn Nhabor.
    Rwy'n gwybod, fel chwithau,
    Fod prinder botymau,
Ond *zip* yn y casgliad? Mae'n sobor.'

John Wyn Jones

341

Medd rhyw ddynes fawreddog o'r dre,
'Beth, tybed, yw'r *Welsh* am bwffê?'
    Fel ateb i hon
    Gofynnais yn llon,
'Be'n union 'di'r term *en anglais*?'

John Wyn Jones

342

Meddai dysgwr o Sais, 'Percy Thro'er
Said that tatws would thrive on Growmore.'
    Ffwrdd â fi gyda wagan
    Am ddeg llwyth a thrigian –
Mae 'na gythral o dwll ar lan môr.

Dewi Jones

343

Meddai Hitler, 'Fe fyddaf, er mwyn
Rhoddi hwb i'r mwstásh dan fy nhrwyn,
    Yn cymryd bob amser
    Rhyw 'chydig o lager,
A digonedd o datws trwy'u crwyn.'

Tegwyn Jones

344

Mewn marchnad gerllaw Pont-y-Cim,
'Na fargen a ga'dd fy mrawd, Jim.
    Fe brynodd hen wreigen
    Am chydig dan chweigen
A chafodd un arall am ddim.

Tegwyn Jones

345

Mewn roced aeth Wil bach Cwmduad
Rhyw fore am drip lan i'r lleuad,
    Ond er trio cyhyd
    Mae'n methu o hyd
Â chofio pa iaith o'n nhw'n siarad.

Jack Oliver

346

Mi fyddwn, petawn i yn gallu,
Yn plannu ffa cynnar a briallu;
    Ond breuddwyd yw honna,
    Does diawl o ddim yma
Ond drain a dail tafol a ballu.

Jôs Giatgoch

347

Mi losgais dŷ haf yn Rhosgadfan
Ac un arall yn ymyl Rhydlydan,
    A dau ym Mhen Llŷn,
    Ond ar ôl mynd yn hŷn
Mi ges job fel dyn tân yn Llansannan.

Dafydd Iwan

348

Mynte dyn bach yn garej Mydroilyn,
'Cymerwch ddau fesur o'r oel hyn.
    Bydd y car, siŵr o fod,
    Pan wasgwch eich tro'd,
Yn mynd ac yn dod yn reit oilyn.'

Vernon Jones

349

Ni allai plwm pwdin na sêgo
Ddigoni y crwt, Abednego;
    Pan welai 'i rieni
    Fod y bwyd wedi 'bennu,
Rhoent ddarnau o Lego'n ei geg o.

Llion Jones

350

Nid oeddwn i unwaith yn perthyn
I Wil, os oedd rhywun yn gofyn,
    Ond ers dod i fri
    Ar sgrin Es Ffôr Si
Mae'n perthyn i mi'n agos goblyn.

Caroll Hughes

351

Oherwydd bod Morris mor dila
Fe brynodd rhyw git codi pwysa,
   Ond siom ddaeth i'w ran –
   Roedd y creadur rhy wan
I agor y cyfarwyddiada.

Meirion MacIntyre Huws

352

Os llwyddith y Toris 'ma eto
Mi fydd yma hen breifateiddio.
   Daw newid ar wedd
   Pob dim ond y bedd –
Mae pob un yn breifat yn fan'no.

Bob Roberts

353

Os wyt ti yn meddwl cael dysgu
Yr heniaith, a thithau yn ysu
   Am iaith sydd yn gywrain
   A honno yn bersain,
Paid byth dilyn ôl Radio Cymru.

Gwen Jones

354

Pan fydda i'n priodi tro nesa
Bydd y ladi yn gant oed o leia;
   Caf sicrwydd ar unwaith
   Na fydd mam-yng-nghyfraith,
Na chwrso'r dyn llaeth fel tro d'wetha.

Alun James

355

Pan glywes fod Wil yn ritiro,
Ishteddes i lawr i fyfyrio
    Gan holi'n ddi-o'd
    Shwt galle hyn fod
Heb iddo erio'd ddechre gwitho?

Islwyn Jones

356

Pan lifodd yr afon tro dwytha
Mi gollais y Flymo a berfa.
    Os cawn ni lif eto,
    O Dduw, rwy'n gobeithio
Yr aiff o â dynes drws nesa.

Edgar Parry Williams

357

Pan oedd Dafydd yn gweithio yn Burma,
Fe briododd ei chwaer ddyn o ffor'ma;
    Pan ddaeth 'nôl efo plên
    Gofynnodd i Jane,
'Ai gwir mai dy ŵr yw'r dyn byr 'ma?'

Thomas Prys Jones

358

Pe cawn roi un troed ar y ddaear,
I hedfan yr awn gyda'm cymar.
    Ond fel yna y mae hi,
    Rhy fyr yw fy nghoes i,
A beth petai'r plên yn cael pyncjar?

Isfron

359

'Prynwch gar,' meddai geneth o Geidio,
'Na,' meddai ei mam, 'gwell yw peidio.'
    'Ond,' ebe ei chwaer,
    'Os byddi'n o daer,
A chrefu, efallai y cei di o.'

Erfyl Fychan

360

Roedd bachgen yn byw yn Nhal-sarn
Yn ddwylath o led groes ei starn.
    'Fu rioed y fath ffws
    I'w roddi mewn bws –
O diawl! Roedd e'n ddigon o farn.

Anad.

361

Roedd blaenor o ardal Tre-lech
Yn enwog am ddawn taro rhech.
    Pan fai ar ei ore
    Yn oedfa y bore
Dôi'r eco yn ôl i'r cwrdd 'whech.

Anad.

362

Roedd cybydd yn byw lawr y stryd
Yn cyfri ei arian i gyd.
    Y pres oedd yn tincio
    A'r Cwîn oedd yn blincio
'Rôl bod mewn tywyllwch cyhyd.

Bu'n cyfri ei gelciad am oria
'Rôl eu hestyn nhw o dan y lloria.
    Darlun rhyw ddyn
    Oedd ar ambell un
A'r lleill efo llun Cwîn Fictoria.

Jôs Giatgoch

363

Roedd Dafydd yn yrrwr diofal
A'i droed dde yn drwm ar y pedal,
    Os bu'r hers braidd yn slo
    Yn ei gludo i'r gro
Fe aeth â fo'n bell ar y cythral.

John Morris Jones

364

Roedd dyn ar y stryd ym Mhwllheli
A dyn ar y stryd yn Llangefni,
    Mae 'na ddyn ar y stryd
    Yn rhywle o hyd
Hyd 'n oed yn Aberllefenni.

Dewi Prysor

365

Roedd dyn ar y stryd ym Mhwllheli
Yn gwerthu'r *Caernarfon & Denbigh*
   Am saith deg pum ceiniog
   Yn fwy na'n Llanbedrog –
'Sdim rhyfedd na werthodd 'run copi.

Dewi Prysor

366

Roedd dyn bach mewn tafarn yn Sgeti
Yn bwyta llythrennau sbageti,
   Ond torrodd y truan
   Ei ddannedd wrth grensian
Cytseiniaid oedd wedi caletu.

Emyr Lewis

367

Roedd dyn bach yn byw yn Guadelupur
Oedd wastad yn piso'n y cwpwr'.
   Mae'n broblem gyffredin
   O Groeg i Gaeredin –
Gwnes innau 'run peth yng Nghasllwchwr.

Dewi Prysor

368

Roedd dyn bach yn byw yn Llandeilo
Ac un mawr yn y tŷ nesaf ato,
   Ond mae dyn yn Ffair-fach
   Nad yw'n fawr nac yn fach.
Mae'n anodd iawn iawn ei ddisgrifio.

Roy Davies

369

Roedd dyn bach yn byw 'Mhen-y-groes
Hoffai eistedd mewn llond bath o does,
   Roedd un arall yn hoffi
   Gorweddian mewn toffi –
Mae 'na bobol reit od yma 'n does?

Geraint Løvgreen

370

Roedd dyn bach yn byw yn Nhyddewi
A'i enw yn rhyfedd oedd Dewi,
   Coginiwyd ei fwyd
   Gan fodryb o Glwyd
A alwyd yn *Dewi's Aunt* ers hynny.

Ceri Wyn Jones

371

Roedd ffermwr yn byw yng Nghwm-sgwt
Yn briod â chwaer Beti Bwt;
   Nhw wnaeth Gôr y Cewri
   O gerrig Preseli,
A marw heb ddweud wrthym shwt.

Owen James

372

Roedd gan ryw hen Indiad ddeg rwbwl,
Ond ar y jî-jîs roes y cwbwl;
   Gan ei wraig yn ddi-oed
   Cafodd flas ei dwy droed –
Ni fu Gandhi erioed mewn shwt drwbwl.

Anad.

373

Roedd gwraig fach yn byw ym Mhontcanna
A yrrai o gwmpas mewn Lada;
   Wrth ymyl Sain Ffagan
   Fe laddodd hwyadan –
Aeth adra a'i phluo a'i bwyta.

                                    Anad.

374

Roedd gwraig fach yn byw ym Mhontcanna
Yn perthyn i Barack Obama.
   Pan glywen nhw hynny
   Roedd pobol yn synnu,
Gan ddweud yn ddrwgdybus, 'Cer o 'ma!'

                                      Anad.

375

Roedd gwraig fach yn byw ym Mhontcanna
Yn ymateb yn od i fanana;
   Wrth syllu ar hon
   Dôi rhyw hiraeth i'w bron –
Mae'n well i ni 'gadael hi fan'na.

                                      Anad.

376

Roedd hogyn chwech oed o Chicago
Na châi gan ei ddadi ddim smocio.
   Aeth i gymaint o stad
   A phoeni ei dad
Nes cael caniatâd i gnoi baco.

                           R. Goodman Jones

377

Roedd Morus ag awydd am raso
Un waith rownd y byd, ac fe aeth o.
    Daeth gair o Jamaica
    Mai ef oedd y cynta,
A dyna'r cip ola gaed arno.

Anad.

378

Roedd rhywun yn dweud ar y radio
Fod dyn wedi colli ei feiro.
    Wel, doed ataf i,
    Gen i bentwr di-ri,
A dim un o'r diawled yn gweithio.

Anad.

379

Roedd rhywun yn dweud ar y radio
Fod safon yr iaith yn dirywio.
    Byddwn i wedi sgwennu
    Rhyw bwt i'w gefnogi
'Tawn i'n gwybod o le oedd e'n dod o.

Anad.

380

Roedd Wil wedi gwylltio fel bat
Wrth geisio cael trefn ar ei VAT.
    Wrth y tân yn y parlwr
    Roedd e'r arolygwr
Yn chwarae'n hamddenol 'da'i hat.

Arwyn Morris

381

Roedd Wiliam yn swyddog pleidleisio
Ym mhentref bach Soar ger 'Berffro,
 Ac fe helpodd pob un
 Oedd braidd yn ddi-lun
Gan fotio ei hun yn ei le fo.

Isfron

382

Roedd yr Hotpoint, heb os, werth ei brynu.
Gall dyn, drwy ryw ffenest, lygadu
 Antics crysa a brasiyrs
 A thronsia a nicyrs –
Mae'n well o beth ddiawl na theledu.

R. Gwynn Davies

383

'Rôl eu dal nhw ar bont Aberaeron
A thaflu'r deg Sais mewn i'r afon
 Â'u dwylo 'di clymu
 Fy nheimlad i ydy –
Am heddi, mae hynna yn ddigon.

Jim James

384

Rown neithiwr yn gwylio Cwmderi
Ond rywfodd fe syrthiais i gysgu.
 Rwy'n hanner gobeithio
 Y gwnaf 'run peth heno,
Ac eto nos fory rwy'n credu.

Anad.

385

Rwy'n falch nad wy'n byw yng Nghwmderi,
Mae'n fôr o odineb a meddwi,
   A ffraeo a gamblo ...
   Ond wedi cysidro
Rwy'n symud i fyw yno 'leni.

Anad.

386

Rwy'n Hindw Mwslemaidd i'r byw,
Yn Babydd, yn Wesle go driw.
   Rwyf am sicrhau
   Y caf i fwynhau
Rhyw nefoedd drwy rywun, siŵr Dduw.

Moi Parri

387

Rhai uchel eu swydd ddylai gofio
Un wers wrth weld epa yn dringo:
   Po uchaf y bòs,
   Po fwyaf heb os
Mae'n dangos ei din i'r rhai dano.

Edgar Parry Williams

388

Rhwng dwyawr a dwyawr a hanner
A gymerodd i Wil ddringo'r Gader,
   Ond fe gododd gwynt mawr
   (A doedd Wil ddim yn gawr) –
Daeth i lawr yn gyflymach o lawer.

Anad.

389

Rhyw bensaer a'i enw fo'n Inigo
A beintiodd ei dŷ bach yn indigo,
Sêt ddu fel yr inc
Ac yna y sinc
Yn un pinc yn ei arddull arbennig o.

Arfon Huws

390

Rhyw eneth fach annwyl o Nefyn
A fachodd ei bra ar ryw bolyn.
Roedd y llanciau ddaeth draw
I gynnig help llaw
Yn ymestyn reit draw i Brestatyn.

Anad.

391

Rhyw ferch fach a'i henw hi'n Neli
A rwbiai ei chorff â rhyw eli,
A phan âi am dro
Fe wyddai'r holl fro
Mai Neli oedd 'co wrth ei smel hi.

Anad.

392

Rhyw ferch fach a'i henw hi'n Neli
Ac O! roedd hi'n bert (o Bwllheli).
Fe daflai ei hud
Dros y llanciau i gyd
Nes gwneud eu pengliniau yn jeli.

Anad.

393

Rhyw grwt o du draw i Glawdd Offa,
Mewn llyfrau ni fynnai fyth loffa,
    Ac er bod nid nepell
    O'i gartref lyfyrgell,
Gorweddai drwy'r dydd ar y soffa.

Anad.

394

Rhyw wraig fach o ardal Cadole
A'i bwthyn yn dywyll ers dyddie,
    Ond hwn oedd yr ateb –
    Fe dalodd fil Manweb
Ac aeth o'r tywyllwch i'r gole.

Anad.

395

Rhyw wraig fach o ardal Cadole
Aeth i bwlffeit un tro'n San Antole,
    A phan weinir y cledd
    Yn y Steddfod am hedd,
Yn lle 'Heddwch!' mae hi'n gweiddi 'Olé!'

Anad.

396

Rhyw wraig fach o ardal Cadole
Oedd yn enwog am fesur penole.
    A sut oedd hi'n gwneud?
    Wel, fedra' i ddim dweud,
Ond darllenais yr hanes yn rhywle.

Anad.

397

Tacsidermist yn dod o Don-du
A lwyddodd i stwffio'i fam-gu,
    Nawr bob wythnos yn gyson
    Mae e'n codi ei phension,
A mae hon nawr yn gant dau ddeg tri.

Arwel Jones

398

Tri pheth sydd yn bwysig i fachan
Pan fo'i dicer yn gyndyn i dician,
    Peidio gorlwytho'r bag –
    Mae'n ormod o ddrag,
A ffarwelio â'r ffag ac â'r ffrimpan.

Anad.

399

Uchelgais Wil Huw, mab y Bronnydd,
Oedd tyfu i fyny'n athronydd,
    Ond sachaid o lo
    Yw Kant iddo fo,
A Plato'n dop fflat ar ben mynydd.

Mairlyn Lewis

400

Uffar o foi 'di Jac Hefin,
Ei geillia sydd gymaint â rwdin,
    Â'r caffi ar gau
    Mi fyddai ei gnau
Yn gwneud pryd i ddau efo pwdin.

Jôs Giatgoch

401

Un diwrnod fe fûm mewn priodas
Nid nepell o Buckingham Palas;
   Pan gyrhaeddodd y Cwîn,
   Edrychodd yn flin
Pan waeddais, 'Tywallt win i'r Frenhinas!'

Edgar Parry Williams

402

Un dydd ar y ffordd i Dregaron
Yn wlyb at ei groen roedd brawd Aaron.
   Medde fe, gydag ôch,
   'Ar ôl croesi'r Môr Coch,
Fe wnes i draed moch o Gors Caron.'

Lyn Ebenezer

403

Un noson wrth fynd i Ros-lan
Mi basiais i hen garafán,
   Ac ar y ffordd 'nôl
   Mi basiais i stôl.
'Na'r tro olaf i *mi* fyta bran.

Geraint Løvgreen

404

Un noson yng Ngwesty yr Emlyn
Ni ches hwyl ar y limrig na'r englyn,
   Ac yn nhoilet y lle
   Clywais billwyr y de
Yn wawdlyd o faint fy ngwawdodyn.

Huw Erith

405

Un noson yn Steddfod Llangollen
Ces gariad – un nobl aflawen
   Wedi'i gwisgo mewn sari.
   Roedd tynnu amdani
Yn debyg i olchi letysen.

Hedd Bleddyn

406

Un pnawn draw ar draeth Aberdyfi
A dim ond fy het dros fy noethni,
   Daeth gwraig fach o'i sêt
   A dweud yn sidêt,
'Mae'n ffitio yn nêt. Beth yw seis hi?'

Anad.

407

Un rhyfedd yw Dafydd drws nesa,
Fe aeth i Shanghai jest i siopa.
   A mynnu roedd e
   'Rôl dychwelyd sha thre
Fod gwell têc-awê yn y Bala.

Anad.

408

Un rhyfedd yw Dafydd drws nesa,
Mae'n berchen ar nicars a pheisia,
   Dau *handbag* a phwrs
   A sgertia, wrth gwrs –
Rydw i'n hoffi eu benthyg nhw weithia.

Anad.

409

Un rhyfedd yw Dafydd drws nesa,
Un ryfedd 'di wraig o, sef Leisa,
Un rhyfedd 'di Non
Ei ferch, a'i fab John,
Ond gwrandwch – un rhyfedd dw inna.

Anad.

410

Un ryfedd yw Meri gwraig Ifan,
Mae'n cuddio ei phres yn ei hosan,
Pe câi hi ei mygio
Does neb fasa'n meiddio
Rhoi'i law yn fan honno am arian.

Edgar Parry Williams

411

Wrth agor fy llygaid un bora
Roedd y cyfan cyn ddued â bola
Buwch Ffrisian Blaen-rhyd,
Ni welais ddim byd,
(Am hynny nid oes llinell ola).

Anad.

412

Wrth agor fy llygaid un bore
Yw'r llinell i'w hateb, ontefe?
Ond rwyf i ar shifft nos
A 'na'r rheswm, of côs,
Mai eu hagor wnaf i'n y prynhawne.

Anad.

413

Wrth basio hen fynwent Caernarfon
Fe glywais sŵn rhyfedd un noson.
   Es yno i chwilio
   Ai ysbryd oedd yno,
Na – beirdd yn benthyca englynion.

Anita Gruffudd

414

Wrth chwilio rhyw ddiwrnod am odle
A hynny yn gynnar y bore,
   Ces afael mewn tair
   Y tu ôl i'r das wair,
A dwy yn y cae 'da'r ceffyle.

Anad.

415

Wrth ddarllen am yfed a smocio
Dychrynais am yr effaith a gâi o,
   A dwi'n deud 'thach chi'n blaen
   O heddiw ymlaen
Na wna i ddim darllen byth eto.

Dewi Prysor

416

Wrth edrych drwy'r ffenast un bora
Mi welais i'r *aliens* bach odia
   Yn siarad iaith fain
   Efo Sais Nymbar Nain –
O'r diwedd mae'r diawl 'di gneud ffrindia!

Dewi Prysor

417

Wrth fwyta ei swper un noson
Fe gladdwyd y pys gan y Person.
   Fin nos yn y tŷ
   Roedd teimlad reit gry'
Y câi ei ddyrchafu yn Ganon.

Wyn Owens

418

Wrth fwyta fy mrecwast un bore
Daeth syniad i 'mhen i o rywle,
   Sut i ostwng gwŷr mawr,
   Codi'r tlodion o'r llawr,
Ond nawr 'smo fi'n cofio beth oedd e.

Megan Evans

419

Wrth fyned am adre un noson
Roedd tŷ haf yn llosgi yn yfflon,
   Roedd blwch ffôn gerllaw
   A rhedais i draw –
Lle hylaw i fochel rhag gwreichion.

Anad.

420

Wrth rodio gerllaw Clegyr Boya
Ces sesiwn yng nghwmni Maria.
   Rhaid dwedyd yn awr
   Na fwynheais i fawr,
Ond byrhaodd tam' bach ar y gaea'.

Anad.

421

Wrth rodio gerllaw Clegyr Boya
Gwelais feinir heb ddim ond ei sana;
    Aeth Dewi'n noeth heibio,
    Ac meddai hi wrtho,
'Chi 'di'r dyn "pethau bychain", yntefa?'

                                                   Anad.

422

Wrth yrru ar draws Pont Britannia
Meddyliais mai yn y fan yma
    Y mae yna sôn
    Mai'r fam yw sir Fôn.
Y cwestiwn yw – pwy ydyw papa?

                                                   Anad.

423

'Y chi fu'n gwneud dŵr,' meddai'r plismon,
'Ar ganol y bont o flaen tystion?'
    'Wel ia, reit siŵr,'
    Atebai'r hen ŵr,
'Wna i byth gario dŵr ar draws afon.'

                                      Edgar Parry Williams

424

Y gwalltog bop-ganwyr sy'n amlwg
Yn sgego a mystyn eu gwddwg.
    O'u gweld ar y teli
    Yn crynu fel jeli
Rwy'n rhedeg i'r gwely o'r golwg.

                                                   Tydfor

425

Y meddyg a ddaw ar alwadau
I leddfu o ddynion eu poenau.
   Rhydd ffisig i chwi
   Neu bilsen yn hy –
Gall gladdu ei gamgymeriadau.

David N. Williams

426

Yn brentis at drefnydd angladda
Aeth Glyn 'cw, ac nid i'r colega,
   Gyda'i wên fach o hyd
   Sy'n eich mesur 'run pryd,
Fe'i gelwir yn Glyn Cysgod Anga.

Gwynfor Griffith

427

Yn ôl stori ddoe yn *Y Cymro*,
Mae Castell Caernarfon ar syrthio,
   A'r bwriad yn awr
   Os cwympith i lawr
Yw codi un llai yn ei le o.

Anad.

428
Beddargraff Clecen

Ysgydwodd ei thafod yn ddyfal
I adrodd hen chwedlau drwy'r ardal,
   A dyma lle mae
   Mewn gwely o glai,
Rwy'n ofni na chawn ni mo'i chystal.

Gwilym G. Williams

Mynegai i'r Awduron